SUDOKU

ARCTURUS

ARCTURUS

This edition published in 2009 by Arcturus Publishing Limited
26/27 Bickels Yard, 151–153 Bermondsey Street,
London SE1 3HA

ISBN: 978-1-84193-582-9
AD000423EN

Printed in India

Contents

How to Solve Sudoku

There is no mystique about solving sudoku puzzles. All you need are logic, patience and a few tips to get you started. In this book the puzzles are graded at different levels, indicated by stars. The process for solving them is exactly the same, however.

Each puzzle has 81 squares formed into nine rows, nine columns, and nine 'boxes' each of nine squares which are shown heavily outlined:

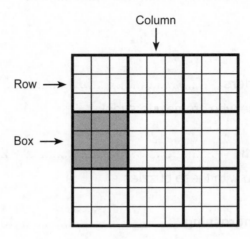

Each puzzle begins with a grid in which some of the numbers are already in place:

	9	6			8		3	
		1		4	2			
5						8	1	9
4		7	1	2				3
		8	7		6	5		
2				9	4	6		1
8	7	2						5
			3	5		1		
	3		2			4	6	

You need to study the grid in order to decide where other numbers might fit. The numbers used in a sudoku puzzle are 1, 2, 3, 4, 5, 6, 7, 8 and 9 (0 is never used).

How to Solve Sudoku

For example, in the top left box the number cannot be 9, 6, 8 or 3 (these numbers are already in the top row); nor can it be 5, 4 or 2 (these numbers are already in the far left column); nor can it be 1 (this number is already in the top left box of nine squares), so the number in the top left square is 7, since that is the only possible remaining number.

The grid now looks like this:

7	9	6			8		3	
		1		4	2			
5						8	1	9
4		7	1	2				3
		8	7		6	5		
2				9	4	6		1
8	7	2						5
			3	5		1		
	3		2			4	6	

Alternatively, you could look to see where the 5 might be in the top right box. It cannot be in the seventh or ninth columns of the grid (there are 5s already in these columns), so it must be in the eighth column, in the only space available, as shown here:

7	9	6			8		3	
		1		4	2		5	
5						8	1	9
4		7	1	2				3
		8	7		6	5		
2				9	4	6		1
8	7	2						5
			3	5		1		
	3		2			4	6	

There are no set rules for where you should start a sudoku puzzle: it's a case of looking for likely places for numbers to fit. Sometimes with the trickier puzzles, it is a good idea to pencil in the alternatives for each square.

How to Solve Sudoku

In this way, you might see where only one number can fit (as in the case of the 7, above) or where there is only one place for a number to fit (as in the case of the 5, above). Here is an example showing alternatives for the bottom row:

7	9	6			8		3	
		1		4	2		5	
5						8	1	9
4		7	1	2				3
		8	7		6	5		
2				9	4	6		1
8	7	2						5
			3	5		1		
19	3	59	2	178	179	4	6	78

A completed puzzle is one where every *row*, every *column* and every *box* contains nine different numbers, as shown below:

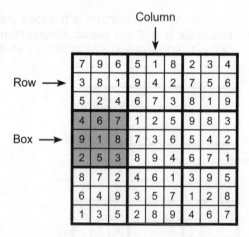

Column

Row ➞

Box ➞

7	9	6	5	1	8	2	3	4
3	8	1	9	4	2	7	5	6
5	2	4	6	7	3	8	1	9
4	6	7	1	2	5	9	8	3
9	1	8	7	3	6	5	4	2
2	5	3	8	9	4	6	7	1
8	7	2	4	6	1	3	9	5
6	4	9	3	5	7	1	2	8
1	3	5	2	8	9	4	6	7

1

1		8	5		7	6		4
	3		8	4	2	9	1	
4	2	7		6			3	8
8	1	4	7				6	9
6			3	9	4			5
9	5				8	7	4	2
7	4			5		8	9	3
	6	5	9	8	3		7	
3		9	4		1	2		6

★

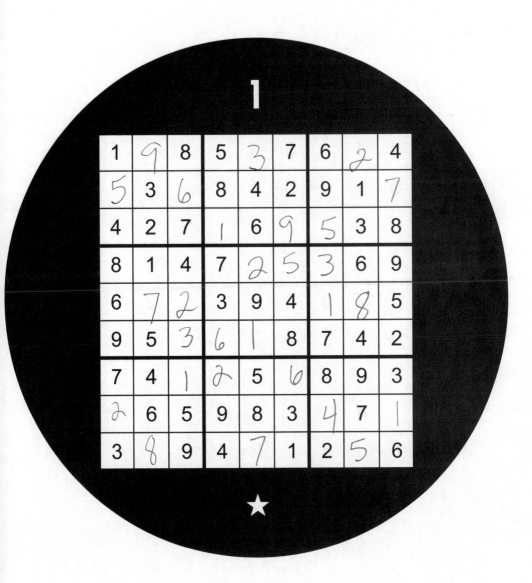

2

2	1		3	9		8		5
8			5	4	7		6	
	6		2			3	7	9
6		3		1	2	9		
	7	5	8		9	1	2	
		1	7	3		4		6
7	9	2			8		3	
	4		6	7	3			2
3		6		2	4		1	8

★

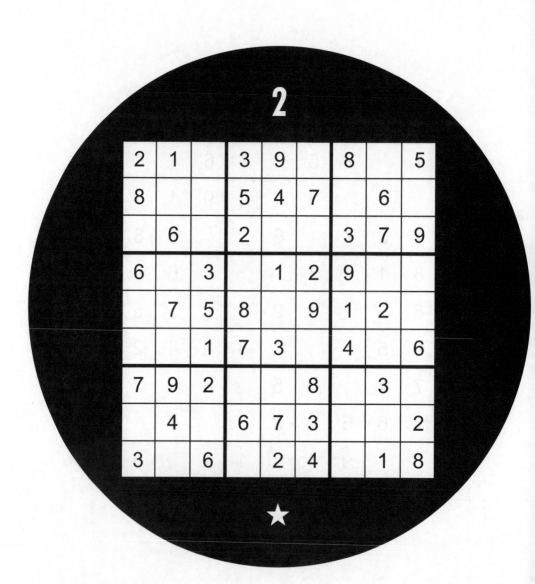

3

1	6	4		2		8		
			7	8	6	4	1	
	8		4		1	9		6
2			3		5		7	
	3	5		6		1	9	
	7		2		9			4
6		2	5		8		4	
	5	7	6	3	4			
		8		9		7	6	5

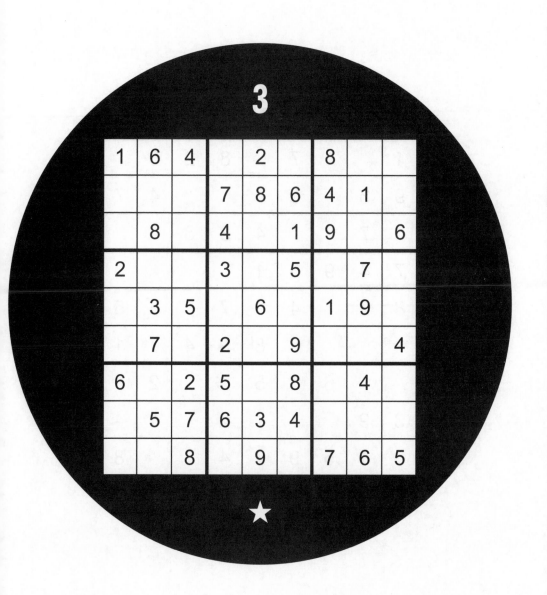

4

1			7		8	2	5	
9	3		6				4	7
	7			4	3	8		
7	4	9	5	1				
8	2		4		7		6	5
				8	9	4	7	1
		6	3	5			2	
3	9				2		1	4
	1	5	9		4			8

★

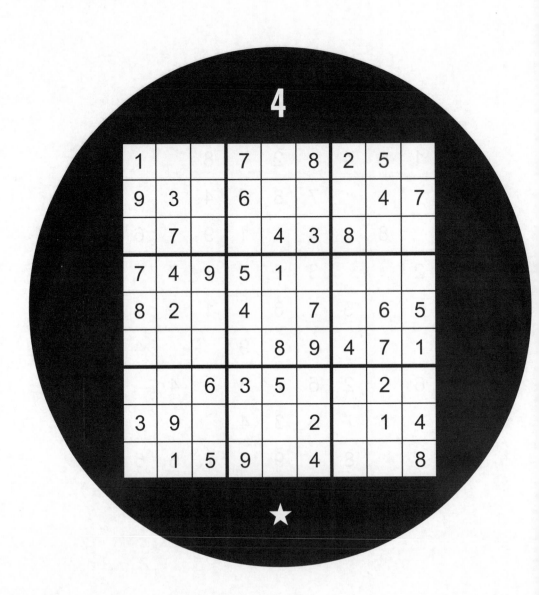

5

1	3	5				2	7	8
		9	3	7	2	5		
	6				8		3	
		7		5	4		8	
2	4		1		3		6	5
	5		6	8		9		
	1		9				4	
		6	8	4	1	3		
9	2	4				8	5	1

★

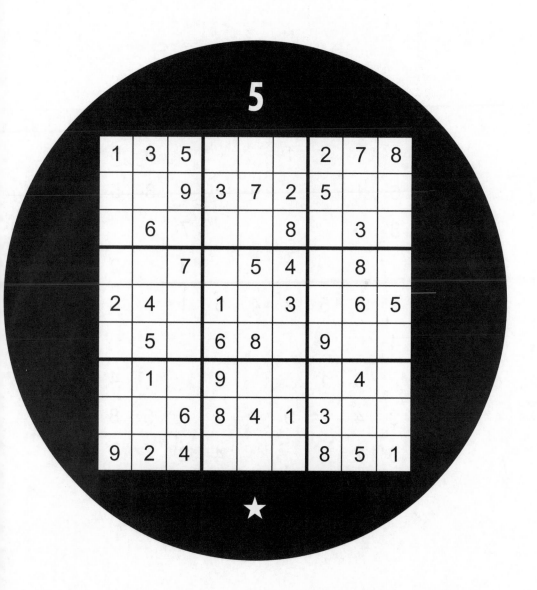

6

		3	1				9	6
6	1			9	2		3	5
8			6			7	2	
	8			5		3		2
7		5	2	4	6	1		9
4		9		1			6	
	6	1			3			4
3	4		9	7			5	8
9	7				4	2		

★

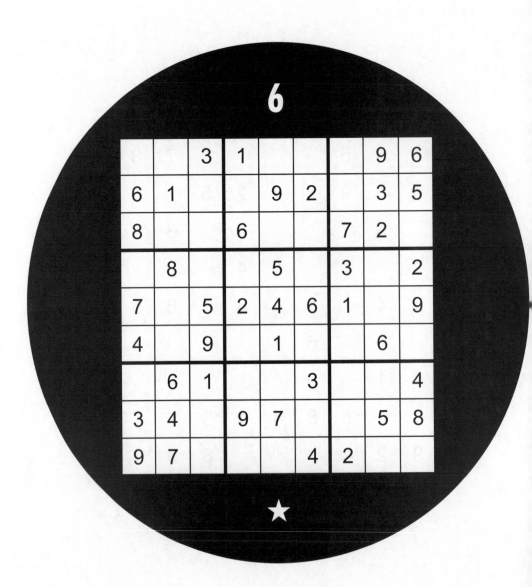

7

	1		7		6			3
7	6		8	3	2			5
	3			5		7	6	8
		6	1		5			2
1	7			8			9	4
2			9		4	5		
8	2	9		1			3	
3			6	4	8		2	9
6			3		9		5	

★

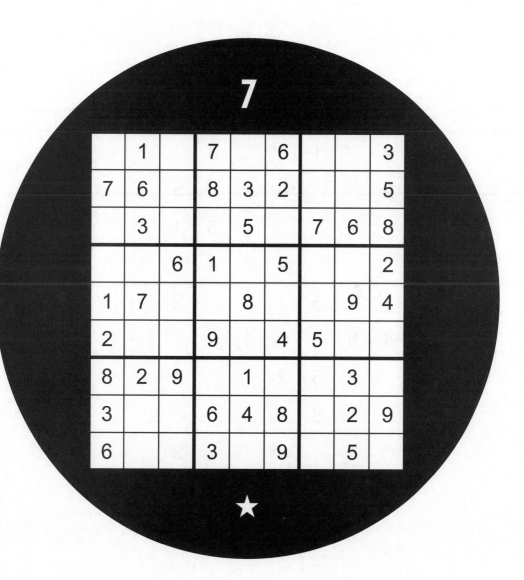

8

9		1	4		3		7	
2			6	9		5		
	6				5	1	3	
				7	4	8	1	3
1		5		6		2		4
4	8	3	9	1				
	4	6	2				8	
		8		3	6			7
	1		8		7	9		5

★

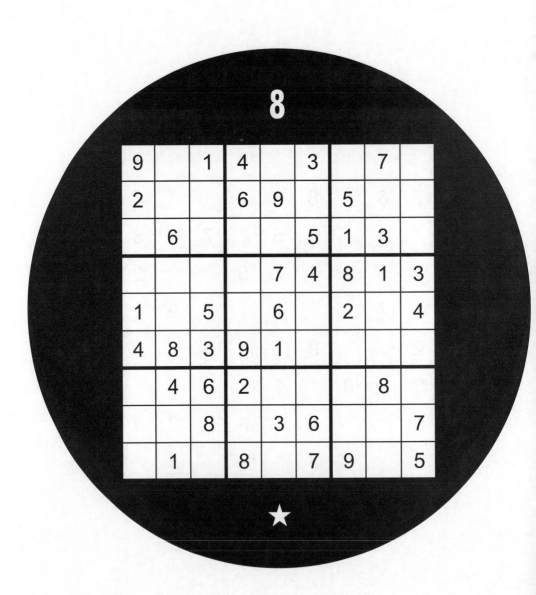

9

		4	9			7		5
7	1	9		4	5		3	
2			8	3			4	
4	9			7		6		3
		1	2		3	8		
5		8		6			2	7
	6			2	4			1
	2		7	5		4	8	6
9		5			6	3		

★

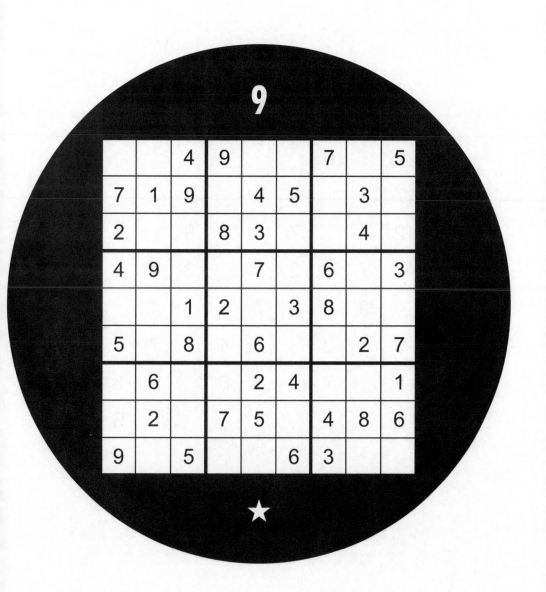

10

9		6			8			
7	5			9			2	3
2			7	4		9		1
	7		2			3	4	8
	9		5	7	3		1	
3	6	2			4		7	
8		7		3	6			5
5	4			1			3	6
			9			4		7

★

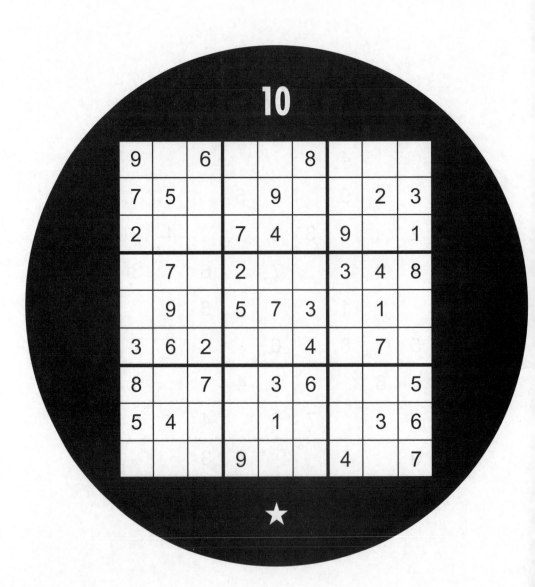

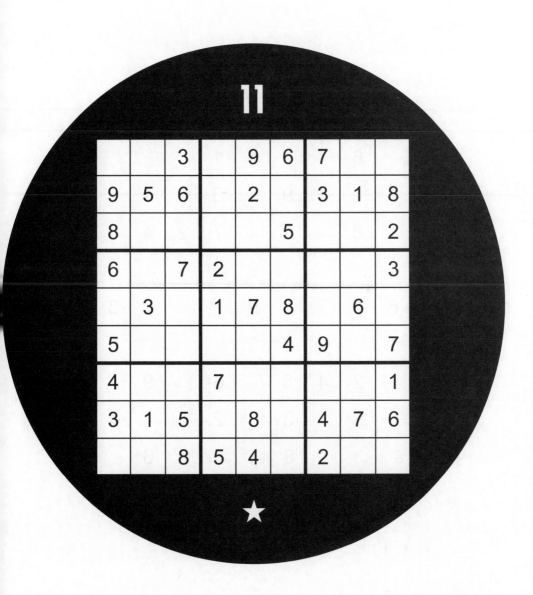

11

		3		9	6	7		
9	5	6		2		3	1	8
8					5			2
6		7	2					3
	3		1	7	8		6	
5					4	9		7
4			7					1
3	1	5		8		4	7	6
		8	5	4		2		

12

	6	7		5	1			
3		5	9		8		1	
	8		6		7	2	4	
4				6	5			8
6	5			9			2	3
1			2	8				6
	2	4	5		6		9	
	9		3		2	7		4
			8	4		5	6	

★

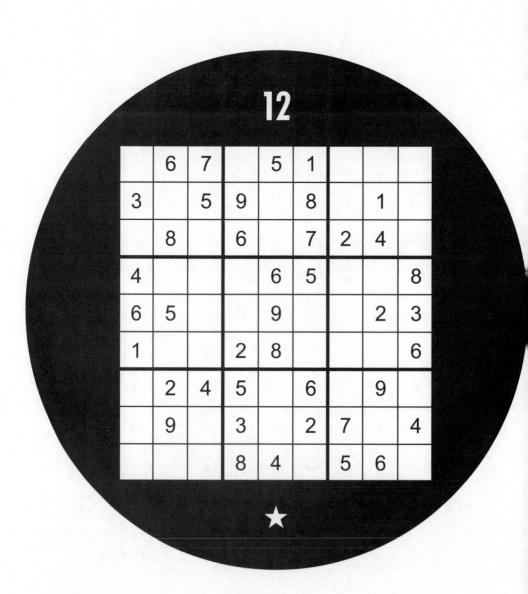

13

		4	6		5	3		1
1	5			4	7	8		
7		3				5		6
3				7	1		9	8
	4		9		3		1	
9	6		5	2				4
6		2				9		3
		9	2	8			5	7
5		8	1		9	4		

★

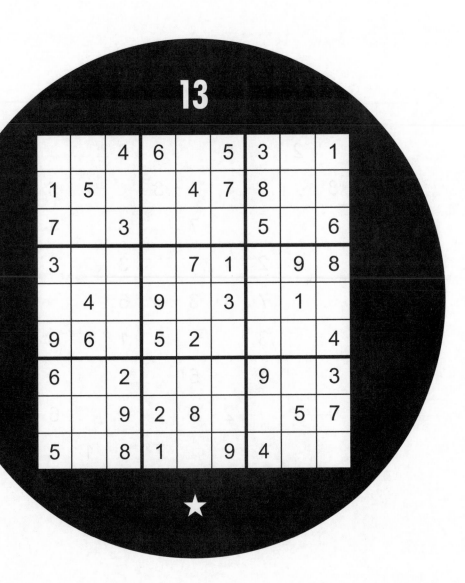

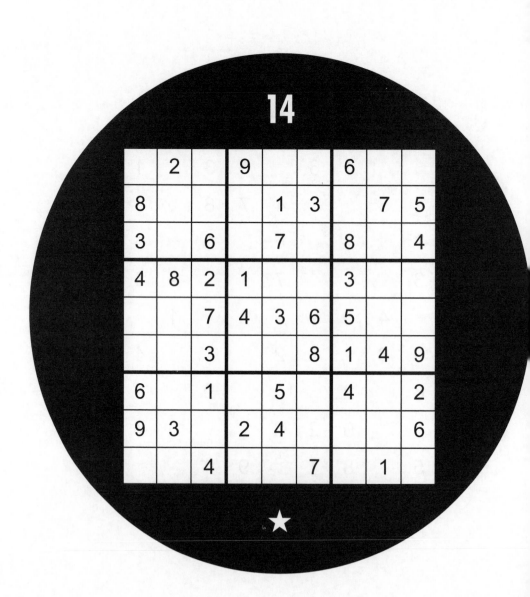

14

	2		9			6		
8				1	3		7	5
3		6		7		8		4
4	8	2	1			3		
		7	4	3	6	5		
		3			8	1	4	9
6		1		5		4		2
9	3		2	4				6
		4			7		1	

15

	6	4	2			8		
3			7		4		9	2
	9		5	8		7		3
	2	3	6					4
4		6	9		1	5		8
8					2	3	1	
9		8		4	7		6	
5	1		8		9			7
		7			5	1	8	

★

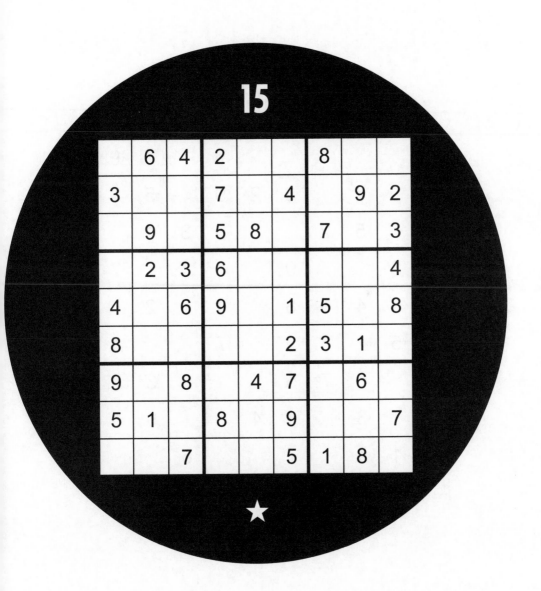

16

		4			5		7	9
	7		6	2	9		5	
	5	2			8	3	1	
8			9			1		7
	4	9	8		1	5	2	
5		6			7			4
	6	7	5			8	3	
	3		1	4	6		9	
1	9		7			6		

★

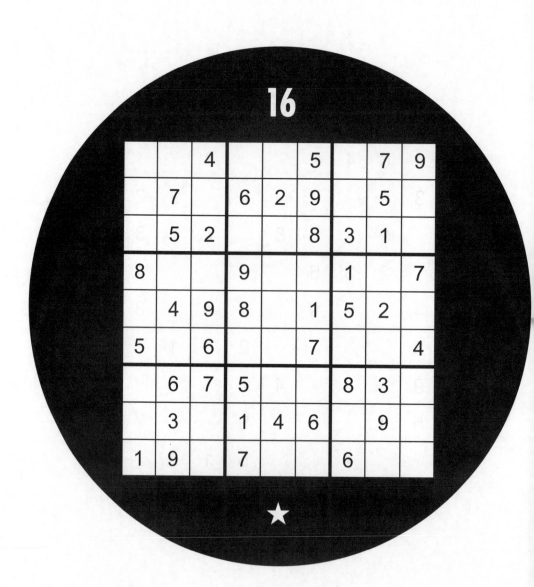

17

1			7		6	3	2	4
7	9		4				8	
		4	2	5				1
2		7		6			4	
	1		8		5		3	
	3			4		5		6
5				8	3	2		
	2				7		6	9
6	7	1	9		4			3

★

18

8		4	6				5	
5				9	7	3		6
	3	6	5				1	
1		9	8		4	7		2
	6			2			9	
2		8	3		9	5		1
	8				1	6	4	
4		3	2	5				9
	7				8	1		3

★

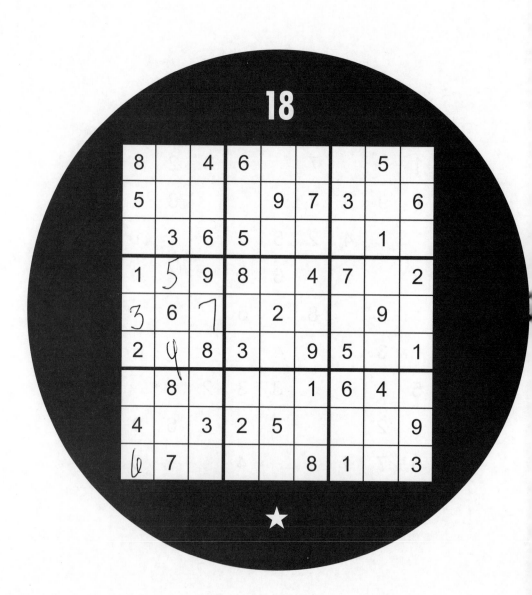

19

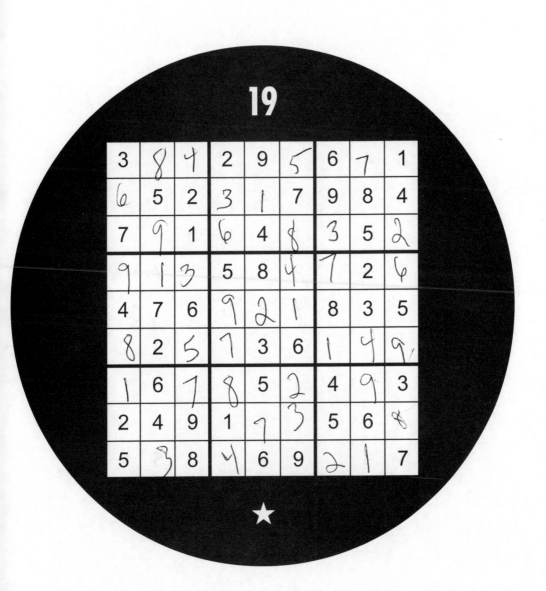

3	8	4	2	9	5	6	7	1
6	5	2	3	1	7	9	8	4
7	9	1	6	4	8	3	5	2
9	1	3	5	8	4	7	2	6
4	7	6	9	2	1	8	3	5
8	2	5	7	3	6	1	4	9
1	6	7	8	5	2	4	9	3
2	4	9	1	7	3	5	6	8
5	3	8	4	6	9	2	1	7

20

6	4			7			9	3
3		5		4		7		1
		9	1		3	5		
8	3		2		4		7	5
		4	7	8	5	3		
1	5		3		6		4	2
		8	4		1	6		
7		2		5		4		8
4	6			2			5	9

★

21

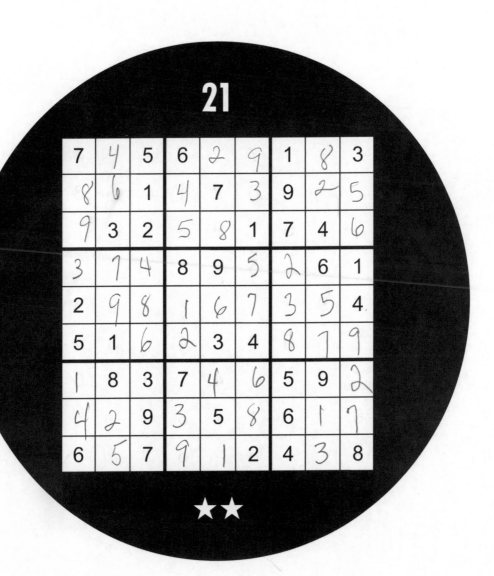

7	4	5	6	2	9	1	8	3
8	6	1	4	7	3	9	2	5
9	3	2	5	8	1	7	4	6
3	7	4	8	9	5	2	6	1
2	9	8	1	6	7	3	5	4
5	1	6	2	3	4	8	7	9
1	8	3	7	4	6	5	9	2
4	2	9	3	5	8	6	1	7
6	5	7	9	1	2	4	3	8

★★

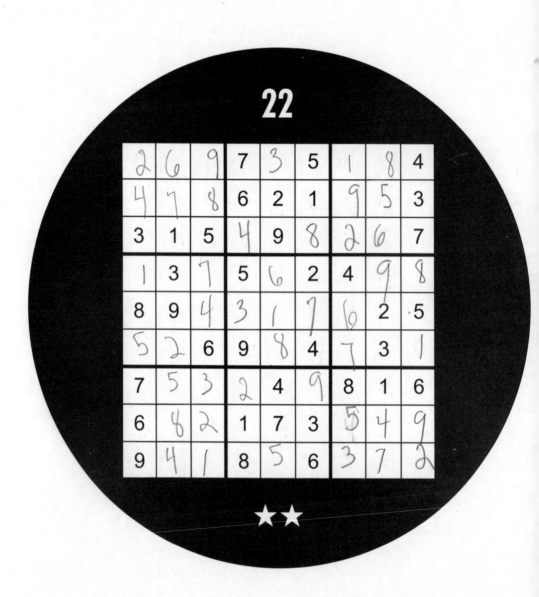

22

2	6	9	7	3	5	1	8	4
4	7	8	6	2	1	9	5	3
3	1	5	4	9	8	2	6	7
1	3	7	5	6	2	4	9	8
8	9	4	3	1	7	6	2	5
5	2	6	9	8	4	7	3	1
7	5	3	2	4	9	8	1	6
6	8	2	1	7	3	5	4	9
9	4	1	8	5	6	3	7	2

★★

23

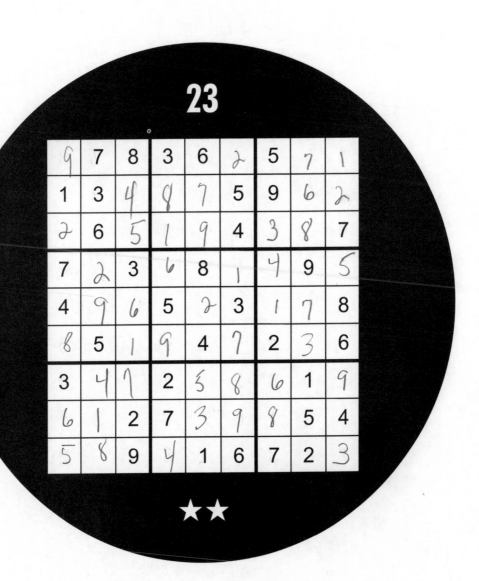

9	7	8	3	6	2	5	7	1
1	3	4	8	7	5	9	6	2
2	6	5	1	9	4	3	8	7
7	2	3	6	8	1	4	9	5
4	9	6	5	2	3	1	7	8
8	5	1	9	4	7	2	3	6
3	4	7	2	5	8	6	1	9
6	1	2	7	3	9	8	5	4
5	8	9	4	1	6	7	2	3

★★

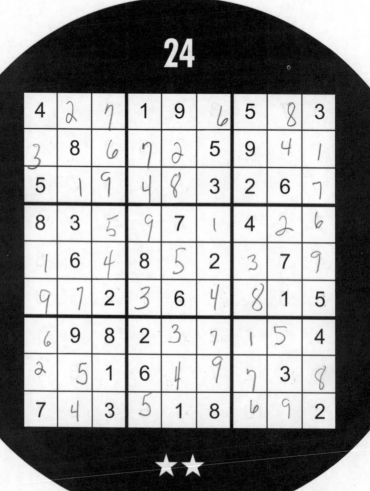

24

4	2	7	1	9	6	5	8	3
3	8	6	7	2	5	9	4	1
5	1	9	4	8	3	2	6	7
8	3	5	9	7	1	4	2	6
1	6	4	8	5	2	3	7	9
9	7	2	3	6	4	8	1	5
6	9	8	2	3	7	1	5	4
2	5	1	6	4	9	7	3	8
7	4	3	5	1	8	6	9	2

★★

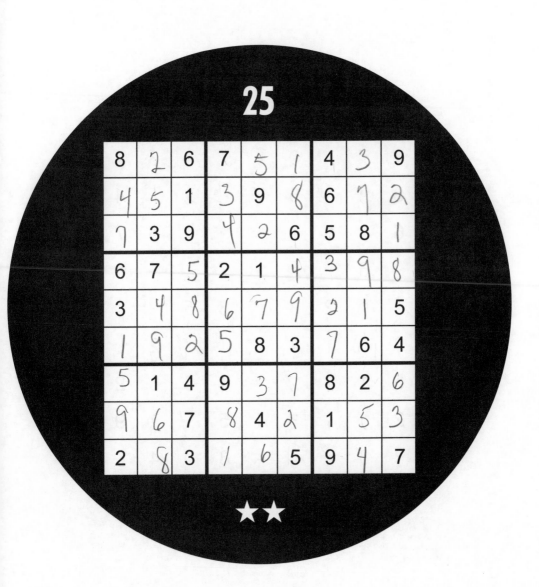

25

8	2	6	7	5	1	4	3	9
4	5	1	3	9	8	6	7	2
7	3	9	4	2	6	5	8	1
6	7	5	2	1	4	3	9	8
3	4	8	6	7	9	2	1	5
1	9	2	5	8	3	7	6	4
5	1	4	9	3	7	8	2	6
9	6	7	8	4	2	1	5	3
2	8	3	1	6	5	9	4	7

★★

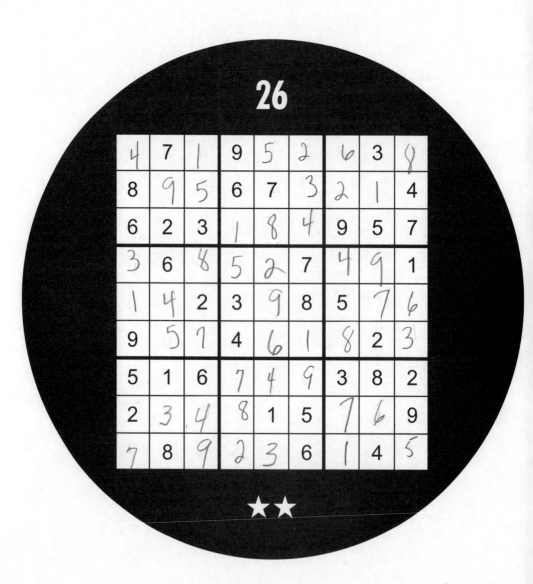

26

4	7	1	9	5	2	6	3	8
8	9	5	6	7	3	2	1	4
6	2	3	1	8	4	9	5	7
3	6	8	5	2	7	4	9	1
1	4	2	3	9	8	5	7	6
9	5	7	4	6	1	8	2	3
5	1	6	7	4	9	3	8	2
2	3	4	8	1	5	7	6	9
7	8	9	2	3	6	1	4	5

★★

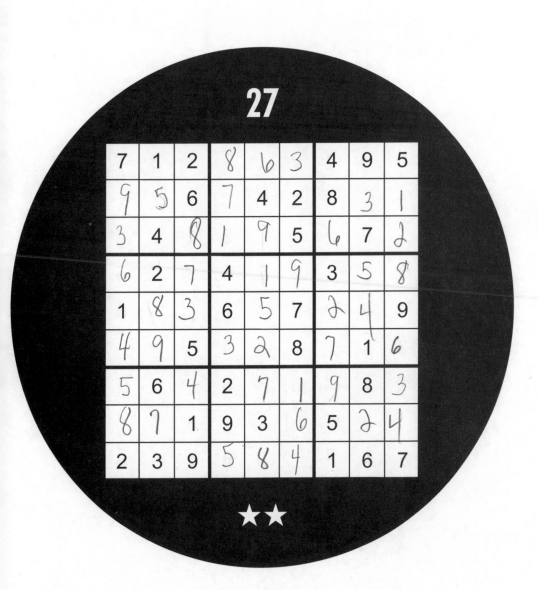

27

7	1	2	8	6	3	4	9	5
9	5	6	7	4	2	8	3	1
3	4	8	1	9	5	6	7	2
6	2	7	4	1	9	3	5	8
1	8	3	6	5	7	2	4	9
4	9	5	3	2	8	7	1	6
5	6	4	2	7	1	9	8	3
8	7	1	9	3	6	5	2	4
2	3	9	5	8	4	1	6	7

★★

28

6	4	8	2	1	5	9	3	7
1	3	7	8	6	9	5	2	4
5	9	2	4	7	3	6	1	8
7	8	9	6	2	1	3	4	5
4	2	6	3	5	7	1	8	9
3	5	1	9	8	4	7	6	2
8	7	4	5	3	6	2	9	1
9	6	5	1	4	2	8	7	3
2	1	3	7	9	8	4	5	6

★★

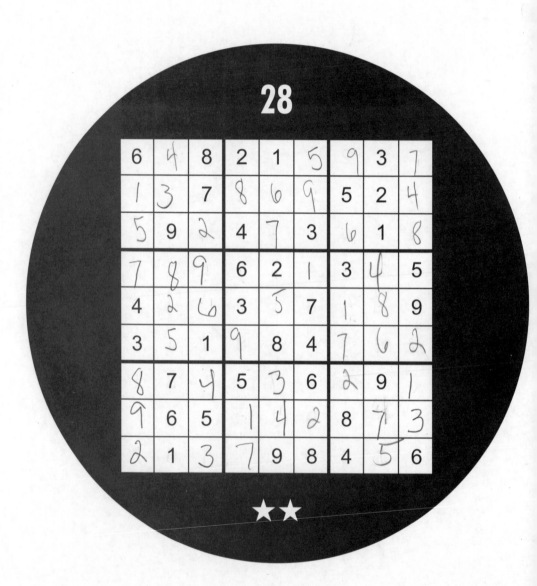

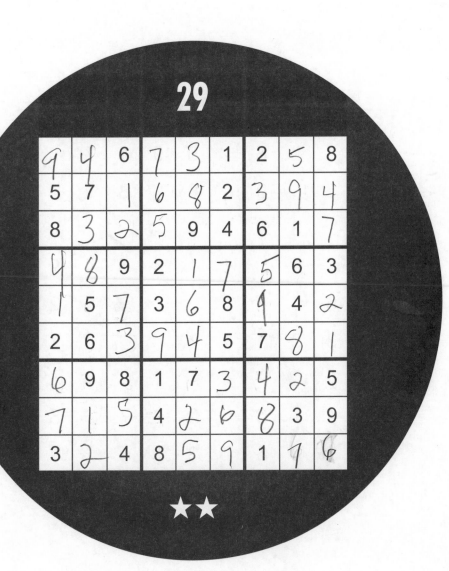

29

9	4	6	7	3	1	2	5	8
5	7	1	6	8	2	3	9	4
8	3	2	5	9	4	6	1	7
4	8	9	2	1	7	5	6	3
1	5	7	3	6	8	9	4	2
2	6	3	9	4	5	7	8	1
6	9	8	1	7	3	4	2	5
7	1	5	4	2	6	8	3	9
3	2	4	8	5	9	1	7	6

★★

30

		8		5	9	1	7	
5		9		6		8		3
	3		2					
7					3	5	4	9
6								2
3	5	1	4					7
					1		9	
4		5		2		7		8
	2	6	7	3		4		

★★

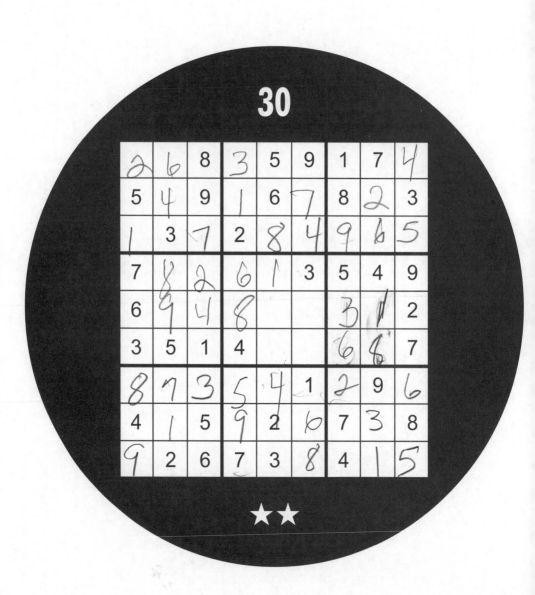

31

8					7	2	9	5
2	4	1	9					6
	9		2	3		8		
				6	1	3	5	8
		7				4	6	
6	3	8	5	9				
		4		1	2		7	
9					5	6	1	
3		6	4					2

★★

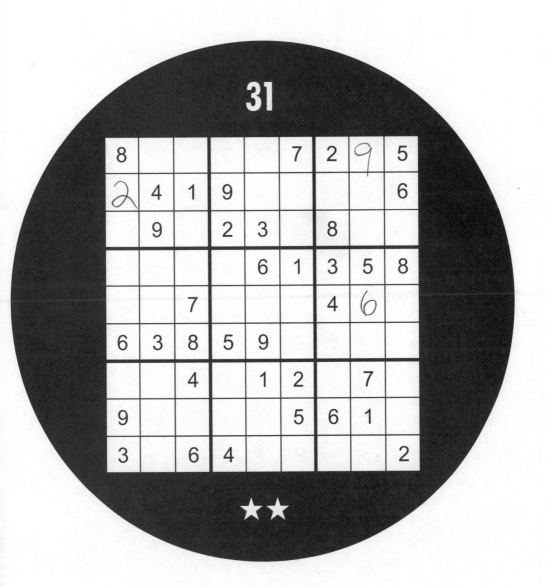

32

5			3	7	9			4
9	8		1				6	5
		3	8				9	
	9				8	7		
7	4						1	2
		6	4				3	
	7				1	4		
1	2				6		5	3
8			9	2	4			1

★★

33

4	9		3					6
3		5	6	7			1	
			4			9	5	
	8	2			1			7
		1	9		3	4		
5			8			2	9	
	1	7			8			
	3			5	4	6		2
2					6		3	8

★★

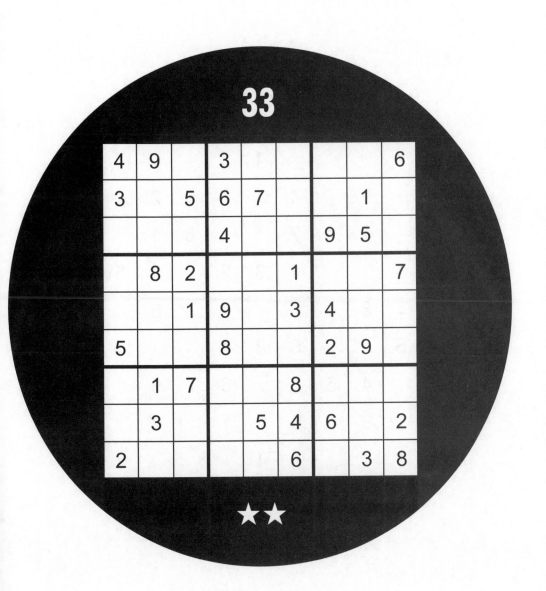

34

9				1				7
	1		4		3		2	
	2	4	7		5	8	1	
4			1	3	2			5
	8	1				3	6	
5			6	8	4			1
	4	5	3		6	7	9	
	9		8		1		3	
3				4				2

★★

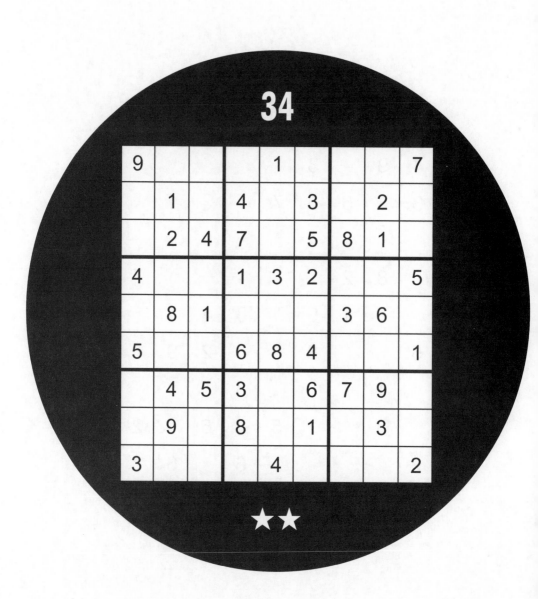

35

	4	7	8					5
2			7					
	6			3	1	4	2	
	7	3			4	8	1	
6				1				9
	1	5	2			6	7	
	9	4	5	6			3	
					3			4
3					9	2	8	

★★

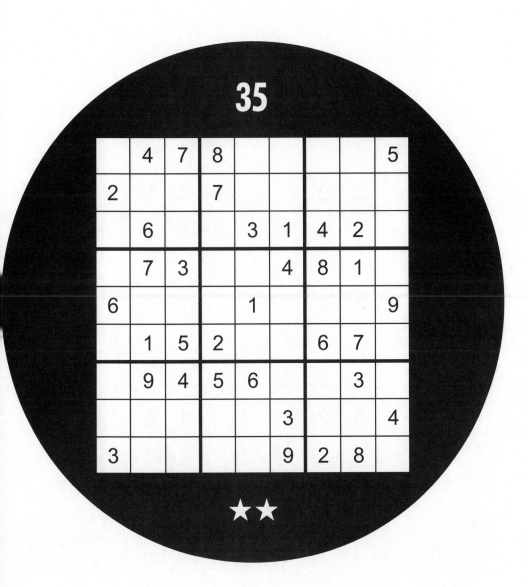

36

9					4		7	
	2	3			6	4	8	
		4	1	8	9	5		
7					5		1	
	4	8				7	9	
	3		9					6
		9	3	7	1	2		
	6	2	4			1	5	
	1		5					3

★★

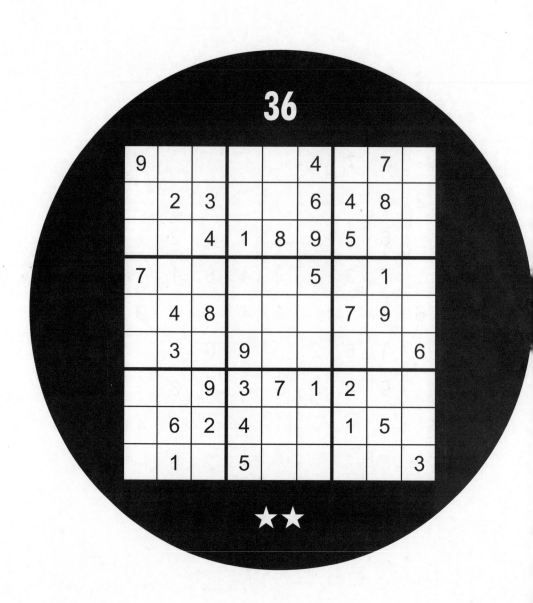

37

			1	8	3	5		
			2		7	4		
2	1	5		6		7		
	5		8		2			4
	6	9				2	8	
3			4		6		5	
		7		4		3	1	9
		6	3		9			
		3	5	7	1			

★★

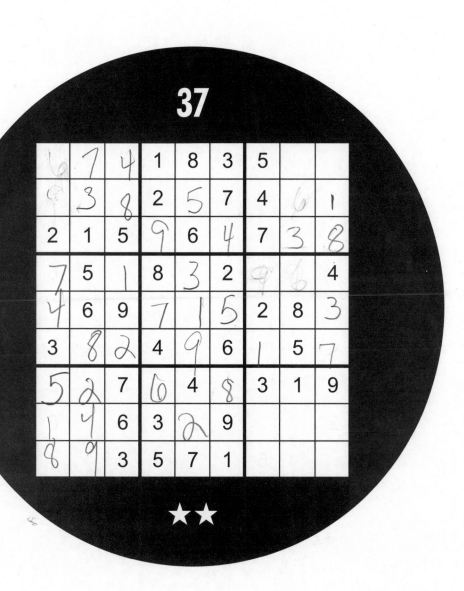

38

		2	9			8		
1			3	6				4
3	9	6				2	7	1
		9	5					6
	1		2		7		3	
4					8	1		
9	7	1				3	4	5
2				5	9			8
		5			4	7		

★★

39

	8	5			4	9		
					5		3	8
3		4		6	9		7	
		3			1		8	2
7			4		8			5
2	1		7			6		
	4		5	3		2		9
6	7		1					
		2	9			1	4	

★★

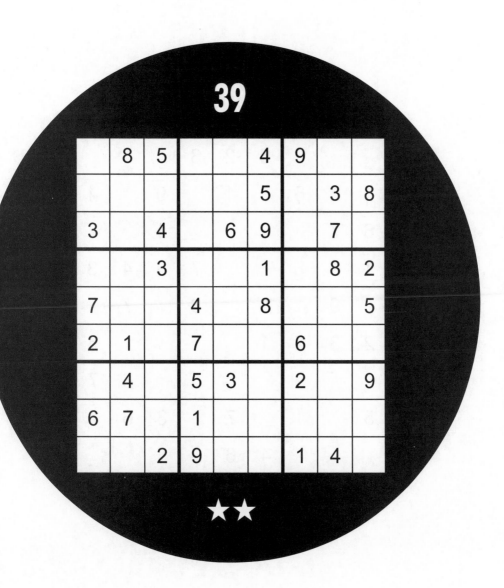

40

			6	2	3			
	6	5		1		9		4
8	7					1		
1					7	8	4	3
	9		3		6		7	
2	3	7	1					5
		9					8	7
5		1		7		3	6	
			4	6	9			

★★

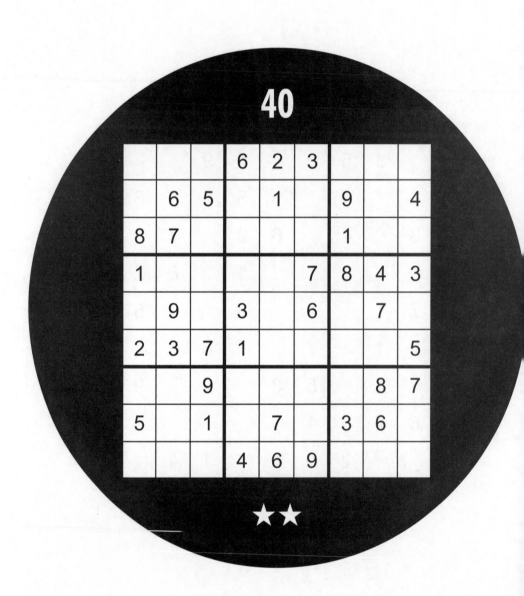

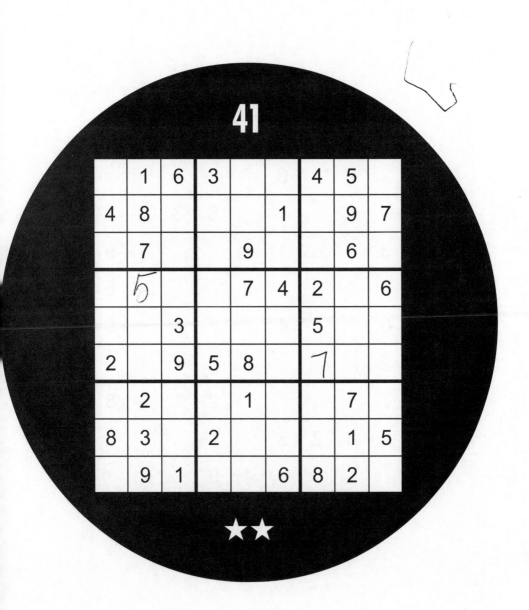

41

	1	6	3			4	5	
4	8				1		9	7
	7			9			6	
	5			7	4	2		6
		3				5		
2		9	5	8		7		
	2			1			7	
8	3		2				1	5
	9	1			6	8	2	

★★

42

	9		6	7		4		
					8	3	5	1
3		8	1					9
	4	3		2				6
6			4		7			5
2				3		9	1	
7					2	1		8
9	6	2	3					
		5		4	9		2	

★★

43

9	6		3			5		
	7	4		1	6	3		
	1		2					7
	3			2		8		1
2			6		3			4
7		6		4			5	
6					8		9	
		5	1	9		7	8	
		8			7		3	2

★★

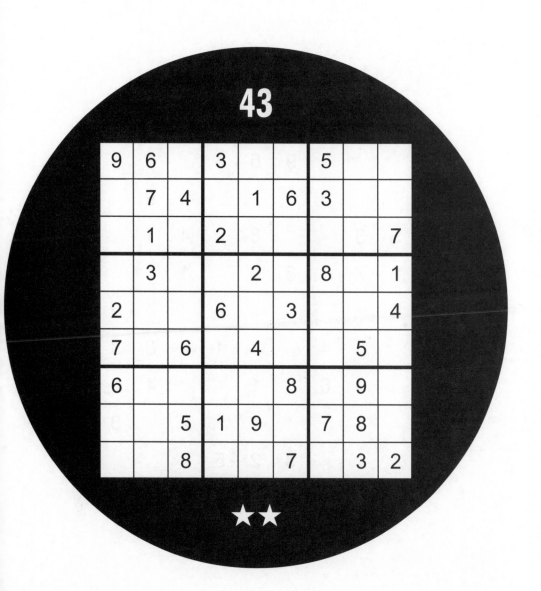

44

			9	5	6			
7		8					9	
5	3			8		4	1	
6	7	3	8			1		
8			5		3			9
		4			1	2	8	3
	9	6		1			4	5
	1					7		8
			3	2	5			

★★

45

		8			1	3		
	6			4	2		5	
1	2	4				8	6	9
		1			7		4	
6			9		8			2
	5		3			6		
9	1	6				2	7	5
	8		1	7			3	
		7	5			9		

★★

46

	8	3		2		1	9	
1			4		9			5
	5			3			6	
	3	6	9		2	7	5	
7			3		6			9
	2	9	1		7	3	4	
	4			9			7	
3			7		4			8
	7	8		6		9	1	

★★

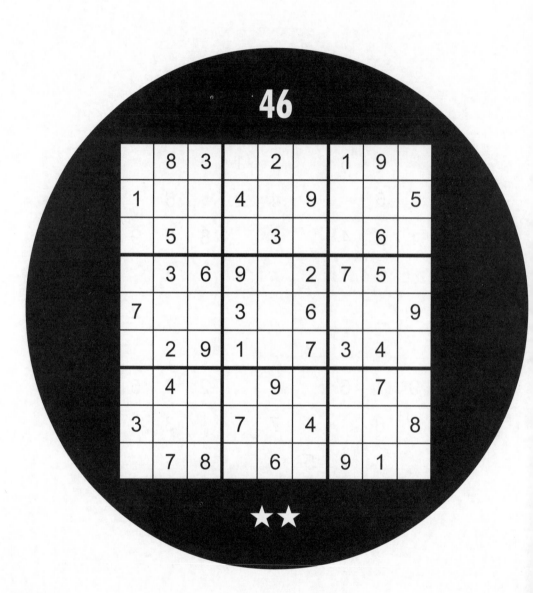

47

7		2	9		5	6		
	8			2				3
5			1		3	7		
4	5		8			1		
		3		9		2		
		9			7		3	6
		7	2		4			8
1				6			7	
		8	5		9	3		4

★★

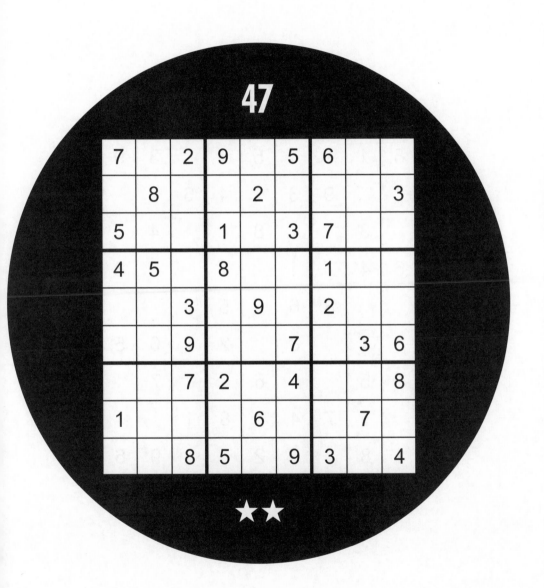

48

8	1			5			3	9
		9	3		4	6		
	3			8			4	
6	4		1		3		2	8
		8	6		5	3		
3	7		8		2		6	5
	5			6			7	
		7	4		8	1		
1	8			2			9	6

★★

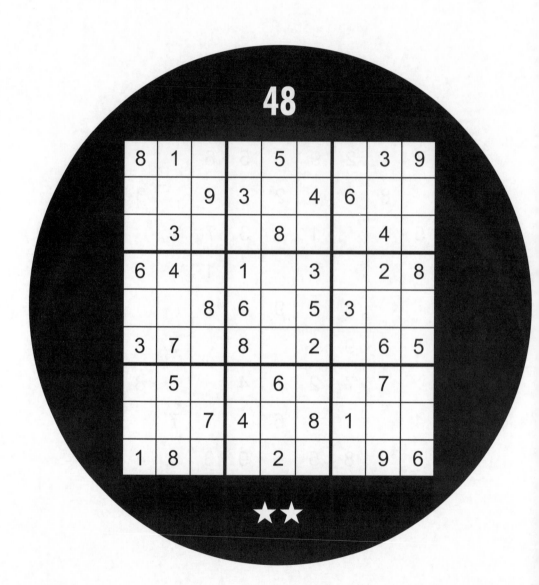

49

4			7		2	6		
		6	9			2		1
9		3	8	1				
	8			3	9		1	
	7	2				9	3	
	3		2	8			5	
				9	5	3		4
2		1			4	8		
		5	6		8			9

★★

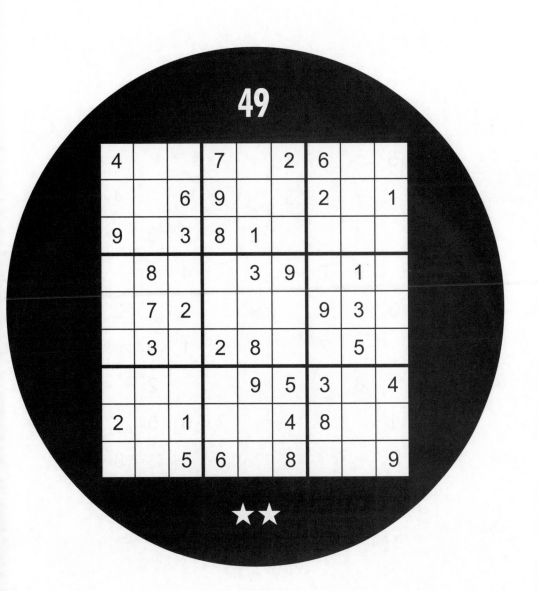

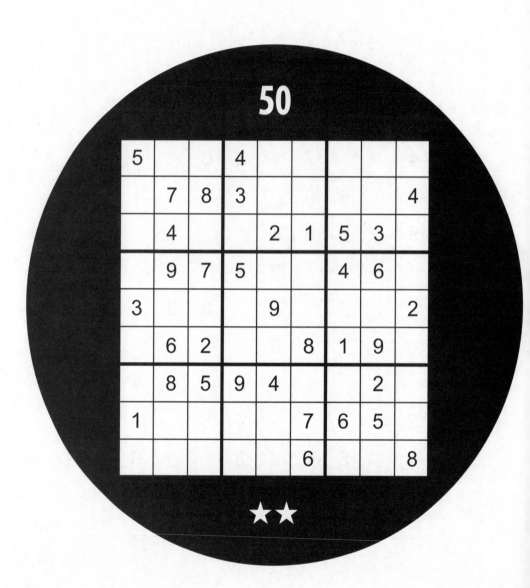

50

5			4					
	7	8	3					4
	4			2	1	5	3	
	9	7	5			4	6	
3				9				2
	6	2			8	1	9	
	8	5	9	4			2	
1					7	6	5	
					6			8

★★

51

			6	8				7
5	3	6		9				4
					3			2
	5	4	1		9	7	2	
1		8				5		3
	9	7	3		8	6	4	
9			4					
6				2		4	1	5
7				1	6			

★★

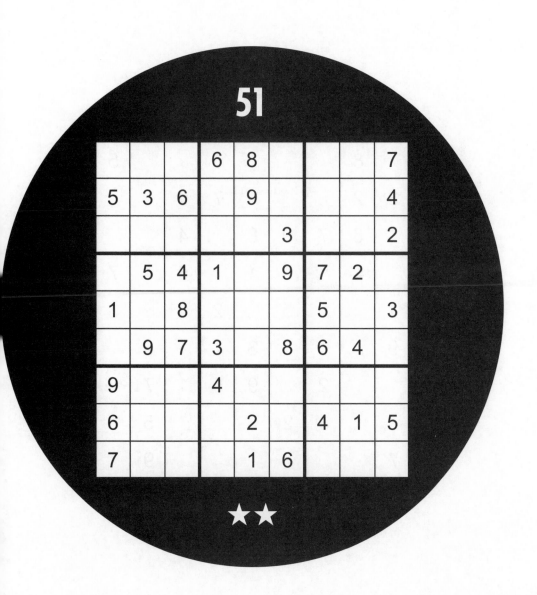

52

	8				6			5
3	2				7	6		
	6	7	9	8		4		
	4			1		5		7
1			5		2			3
9		6		3			2	
		2		9	5	1	7	
		4	2				5	8
7			3				9	

★★

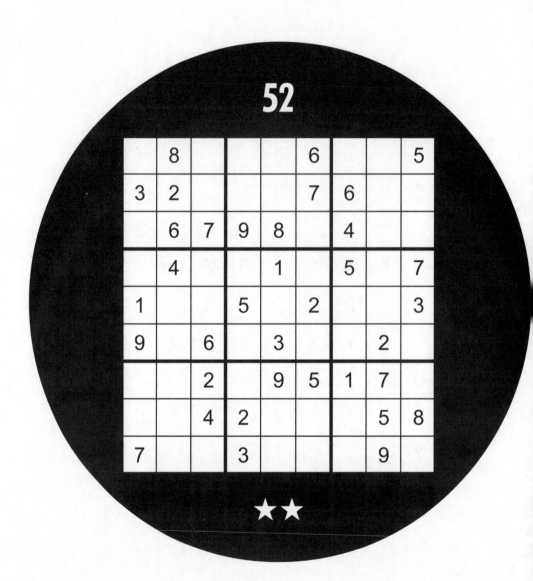

53

	1		9	6				4
		2	8				3	6
	3	7			1	9		
7	5	3		2	8			
	4						1	
			6	3		5	7	8
		5	4			8	9	
1	6				2	3		
2				7	9		5	

★★

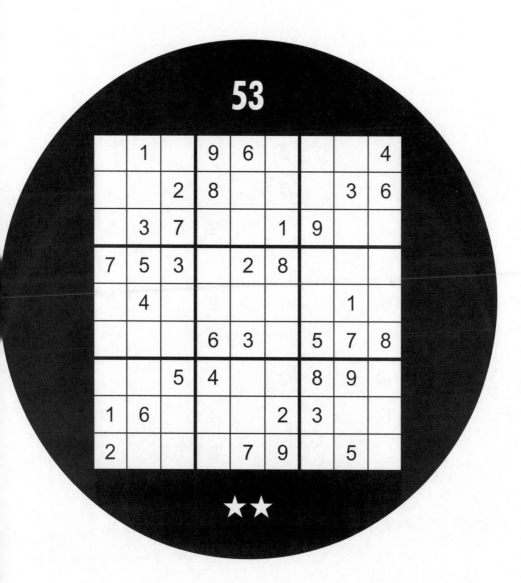

54

		7	5	9			6	
3	4		7					1
					2	8	7	5
8				7		9	2	
6			1		9			8
	5	4		2				7
4	2	6	3					
5					4		3	2
	9			1	8	5		

★★

55

		3				9	8	7
	4		6	3				
2	5		8					6
		6	4	8		5	7	
	3		7		2		9	
	2	4		1	5	8		
6					9		2	1
				5	8		4	
4	9	1				3		

★★

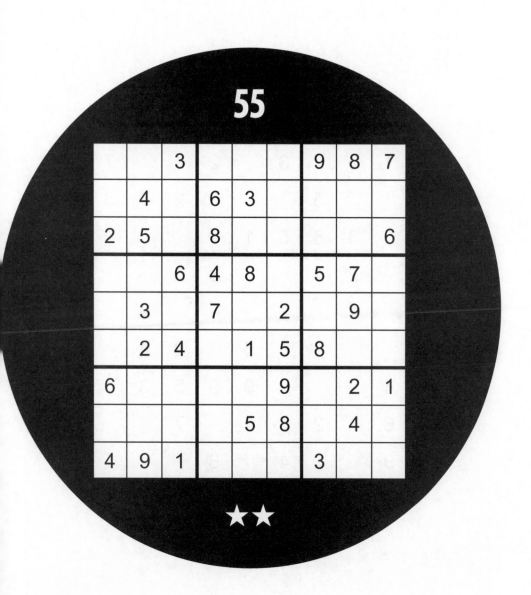

56

1			3		2			7
		5				2		3
	3	8	5	1				9
	2	4		6	3			
	1		7		4		8	
			8	5		9	4	
4				9	6	5	3	
6		2				7		
9			4		8			1

★★

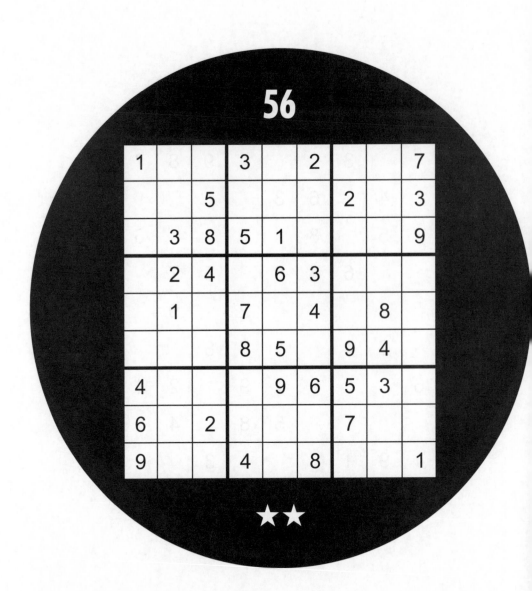

57

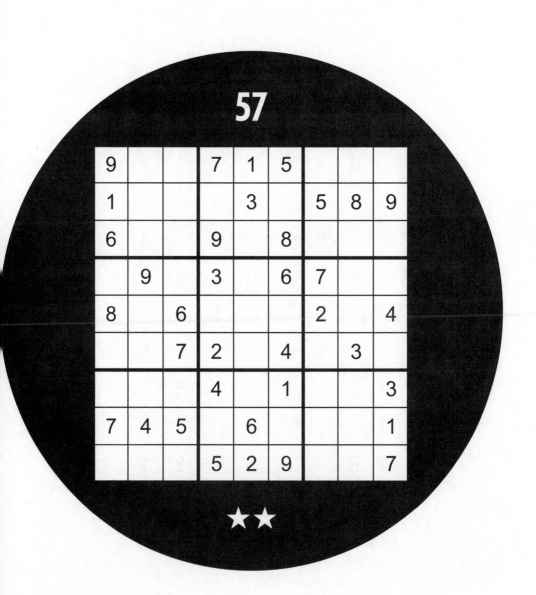

9			7	1	5			
1				3		5	8	9
6			9		8			
	9		3		6	7		
8		6				2		4
	7	2		4		3		
		4		1				3
7	4	5		6				1
			5	2	9			7

★★

58

	8	4	3	7			2	
		7			4			5
6		9			8		4	
3	4			6		9		
1			5		9			6
		2		1			5	8
	2		9			5		7
8			6			3		
	9			3	5	8	1	

★★

59

4			6		3	5		
		5	9			3		2
9		7	8	2				
	7		3	8			1	
	6	3				9	7	
	8			7	9		2	
				9	1	7		4
3		2			4	8		
		1	5		8			9

★★

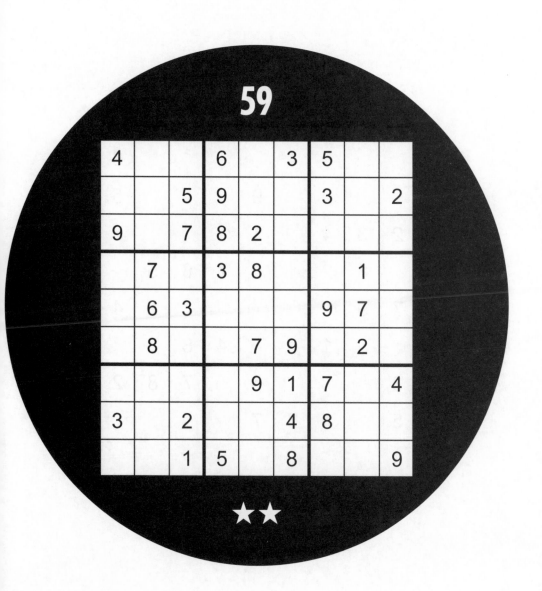

60

			4					6
				9	3			5
2	3	4		1				8
	8	2	1		7	6	5	
7	9						2	4
	5	1	9		4	8	3	
3				6		7	8	2
5			3	7				
1					8			

★★

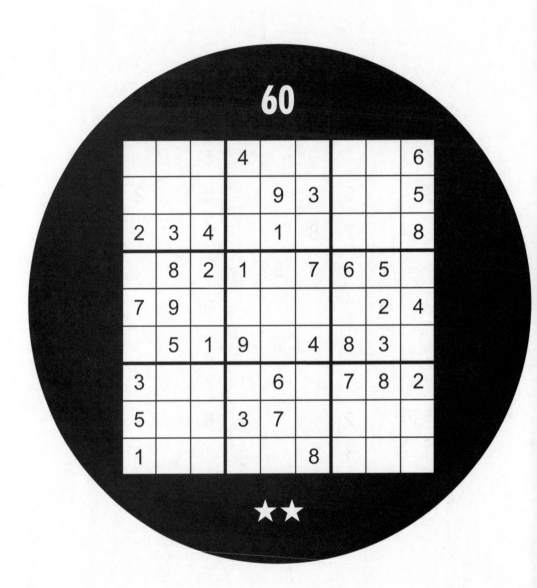

61

		7			1		5	4
		1	4	6		9		8
	8				2			6
7				9		4	8	
	9		1		4		2	
	6	3		2				1
5			3				4	
3		8		5	6	7		
1	2		8			3		

★★

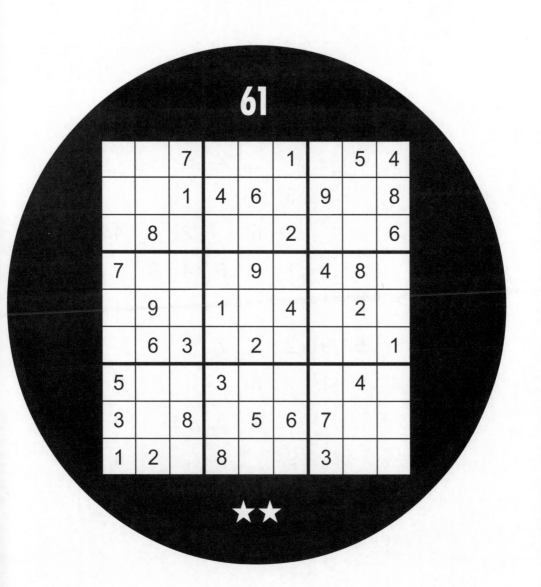

62

8					2			
3			5	7				
9				6		2	5	4
	3	8	1		6	4	9	
2	4						7	1
	5	9	2		7	6	3	
4	9	1		8				5
				1	5			3
			9					6

★★

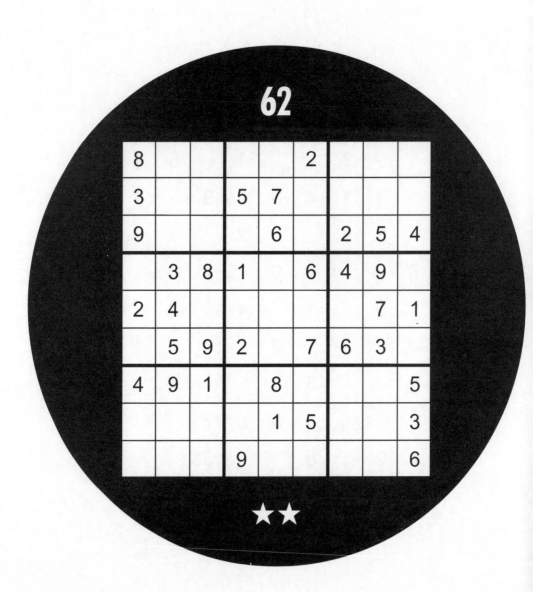

63

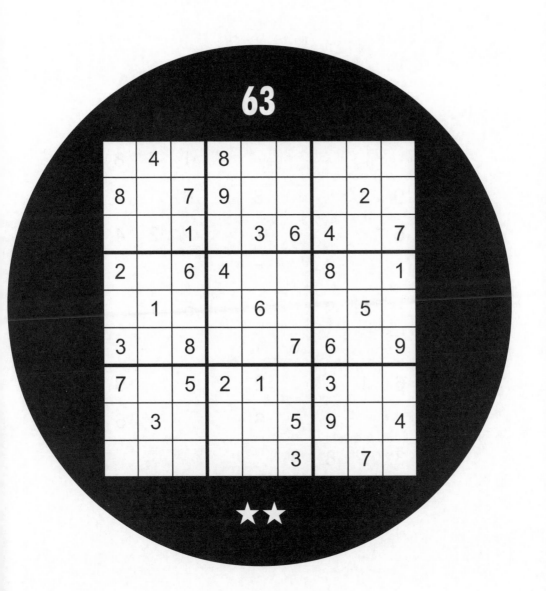

	4		8					
8		7	9				2	
		1		3	6	4		7
2		6	4			8		1
	1			6			5	
3		8			7	6		9
7		5	2	1		3		
	3				5	9		4
					3		7	

★★

64

					9	1	7	8
9	4			8		6		
5			3	7			2	4
		3		5	2			
	2	9				5	1	
			6	1		3		
6	1			2	7			9
		2		6			8	5
3	7	8	4					

★★

65

	8	6	4		2	9		
	9		8		5	3		
3				1			7	
		7			9		8	2
		5		4		6		
6	1		3			4		
	6			5				9
		3	6		7		2	
		1	2		4	5	3	

★★

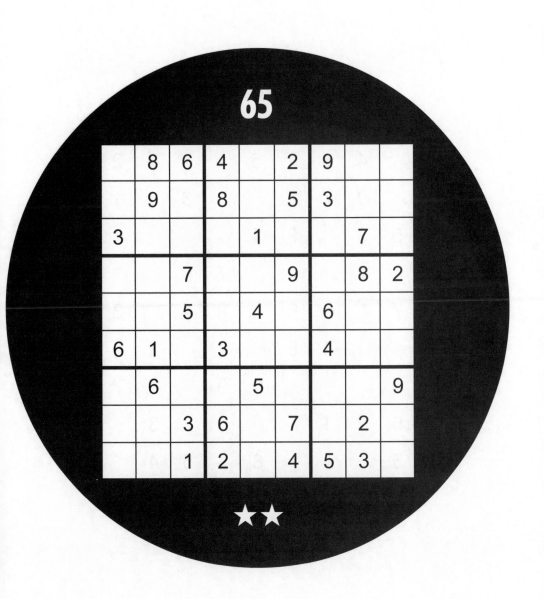

66

	4	8		5				2
	9	7				6		1
5	3		9	1				
	2				7	9		
7		5	6		8	4		3
		4	5				1	
				6	9		8	7
6		1				2	3	
3				8		5	4	

★★

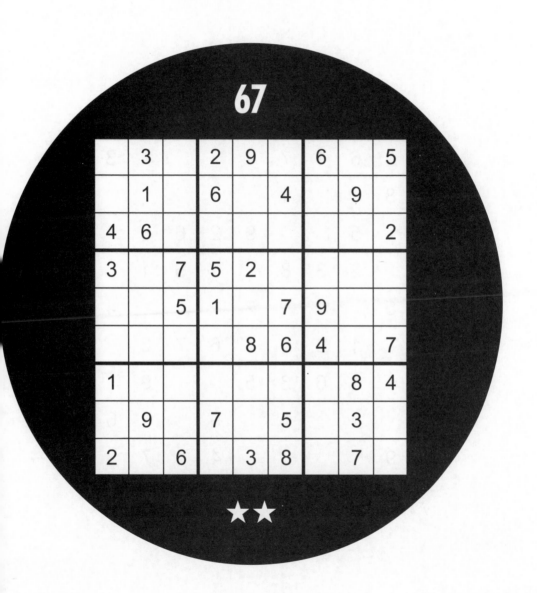

67

	3		2	9		6		5
	1		6		4		9	
4	6							2
3		7	5	2				
	5	1		7	9			
				8	6	4		7
1							8	4
	9		7		5		3	
2		6		3	8		7	

68

	6	1	7					3
8			1					
	5			9	2	6	8	
	2	3	8			5	1	
5				2				4
	1	9			6	7	2	
	4	6	3	5			9	
					9			6
9					4	8	7	

★★

69

		7			4			2
1		9			6		5	
	8	2	9	7			6	
2	9			8		5		
4			6		9			8
		6		4			3	7
	5			1	7	3	2	
	3		2			6		4
9			3			1		

★★

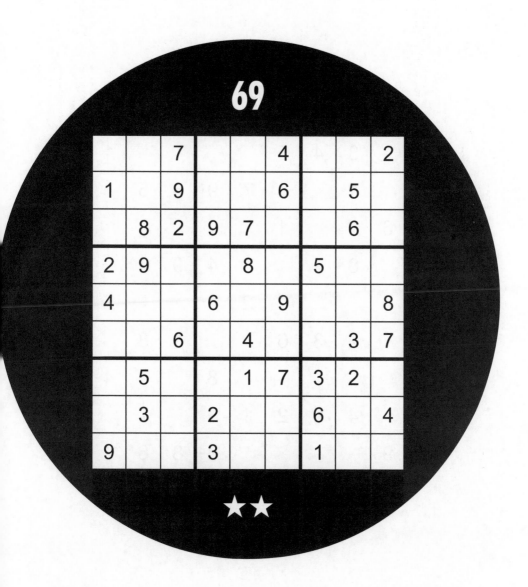

70

	3	4	5					1
	1			7	9	6	5	
6			1					
	8	7			4	9	2	
5				2				7
	2	3	6			1	8	
					8			4
	4	6	2	1			7	
9					3	8	6	

★★

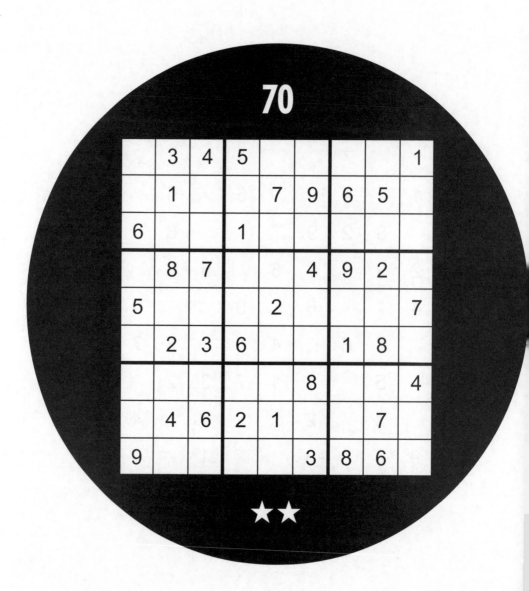

71

	2			8			3	
6	7				1		8	2
	1	3	5			6	4	
9		8	4	7				
		5				4		
				2	6	9		3
	8	1			3	7	9	
7	5		9				1	4
	9			1			2	

★★

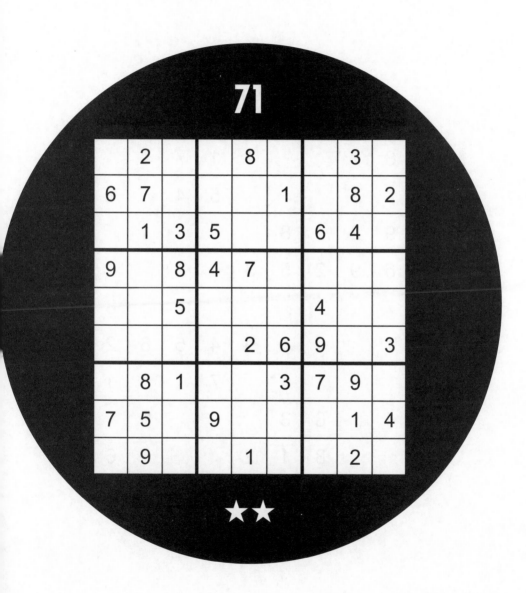

72

8				4	1	7		
	3				5	4		9
9	2		8				1	
6	9	2	5	3				
7								8
			9	4	5	6	2	
	6			7			5	1
4		8	3				9	
	3	1	2					6

★★

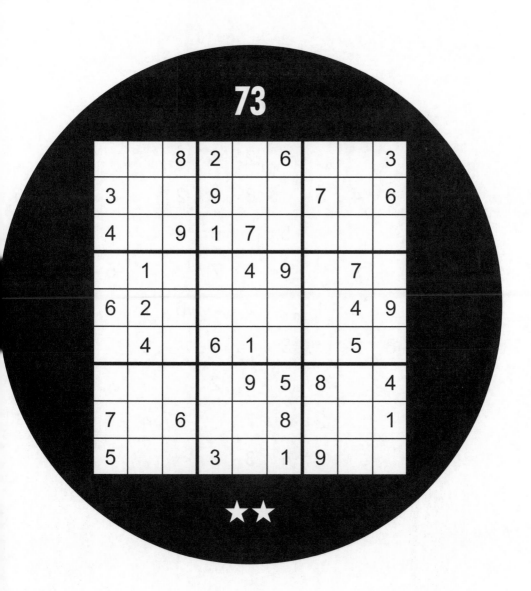

73

		8	2		6			3
3			9			7		6
4		9	1	7				
	1			4	9		7	
6	2						4	9
	4		6	1			5	
				9	5	8		4
7		6			8			1
5			3		1	9		

★★

74

			9	2	4	5		
6	4	5		8		2		
			5		6	7		
	9		8		7			5
	3	1				6	7	
8			3		1		9	
		8	1		2			
		2		7		9	4	1
		9	4	3	5			

★★

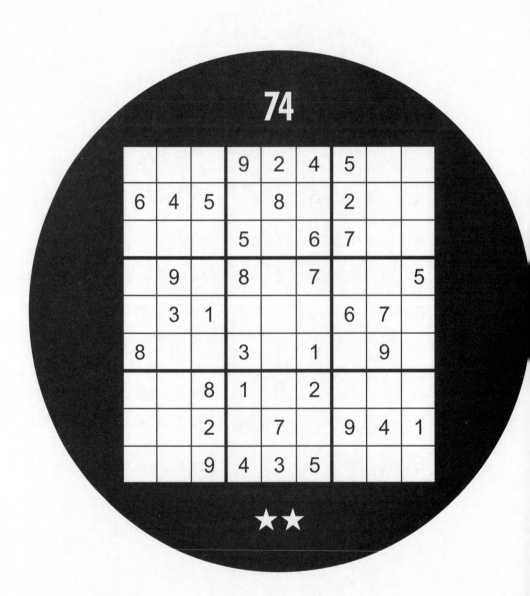

75

	5		4	3		7		
6	4				1			5
9			7			8	2	
5	3	6		9	2			
	8						1	
		6	7			3	5	9
	9	2			6			7
4			8				9	3
		1		2	4		8	

★ ★

76

1	5				6	7		
4			9	2			1	8
	8			5				
5	2		1				6	9
		4		9		3		
9	7				8		4	5
			2			1		
3	1			4	7			2
		2	3				8	6

★★

77

	3				4	2		7
					3		6	
6		4	8	1		3		
3		5			6	9		2
	1			9			4	
8		9	7			5		1
		1		3	9	7		6
	7		5					
5		6	2				8	

★★

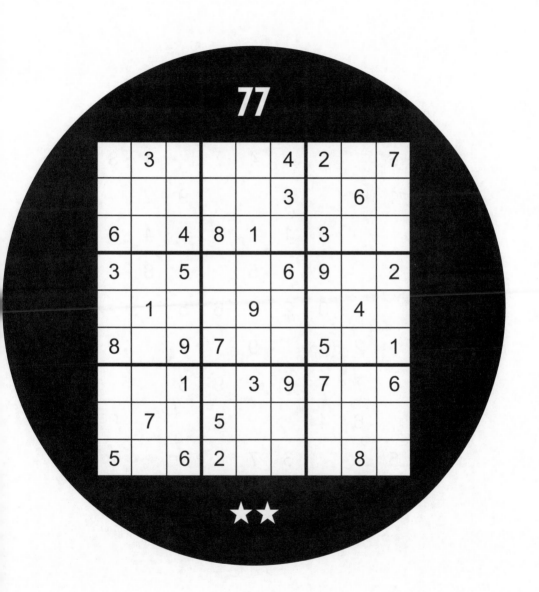

78

8				4	7		1	3
1			3			9	2	
		6	1				4	
6		3		5			8	
		9	2		6	5		
	2			9		7		1
	7				9	3		
	6	4			2			8
5	3		6	7				2

★★

79

3	4	7		2				1
			1	4				8
					7			6
	7	1	9		5	8	6	
5		3				9		4
	2	8	6		4	7	3	
2			5					
8				9	1			
7				6		1	5	3

★★

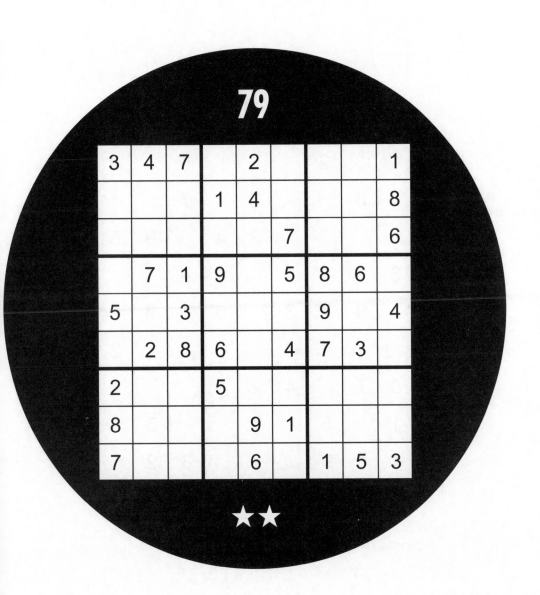

80

	3	2				6		8
	8			5		7		1
				3	4		9	5
6					9	4		
	9	7	3		5	1	8	
		1	7					2
8	7		4	2				
1		5		7			6	
4		9				3	2	

★★

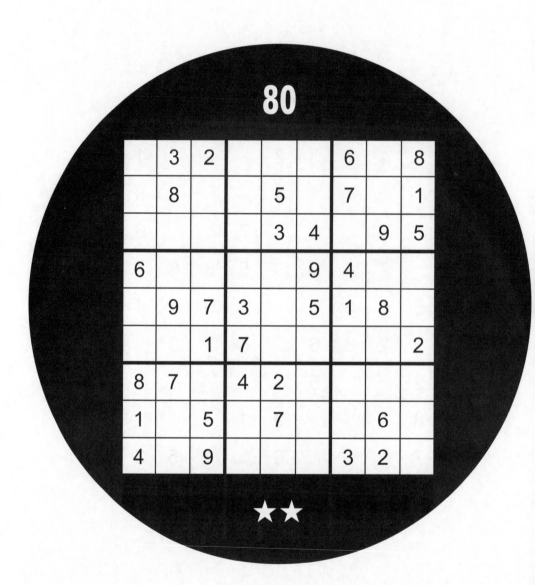

81

8		9		1	6	7		
	7	3		8		6	5	
			4					2
	6		1			3	2	7
	9						8	
3	1	4			7		6	
1					8			
	3	2		9		5	1	
		5	2	3		4		6

★★

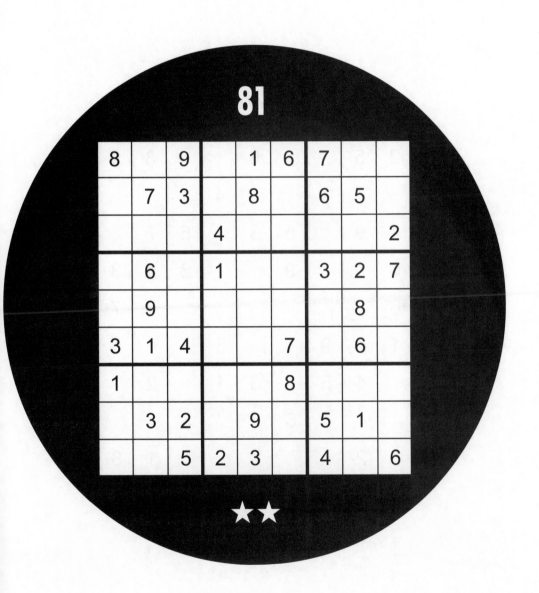

82

2	5			6			8	9
		1			4			
	9		5	3		6	7	
5			9			8	4	3
6								7
1	8	9			3			5
	4	5		8	1		2	
			6			3		
3	2			7			1	8

★★

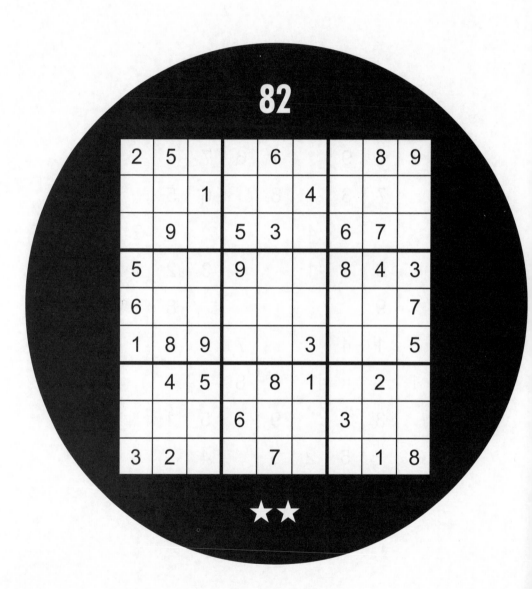

83

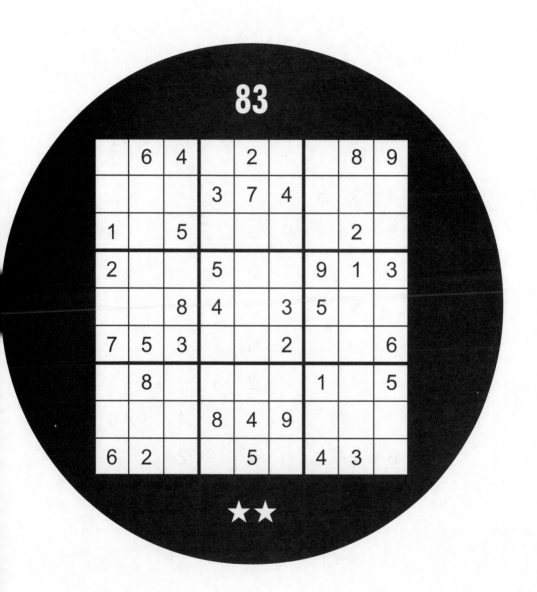

	6	4		2			8	9
			3	7	4			
1		5					2	
2			5			9	1	3
		8	4		3	5		
7	5	3			2			6
	8					1		5
			8	4	9			
6	2			5		4	3	

★★

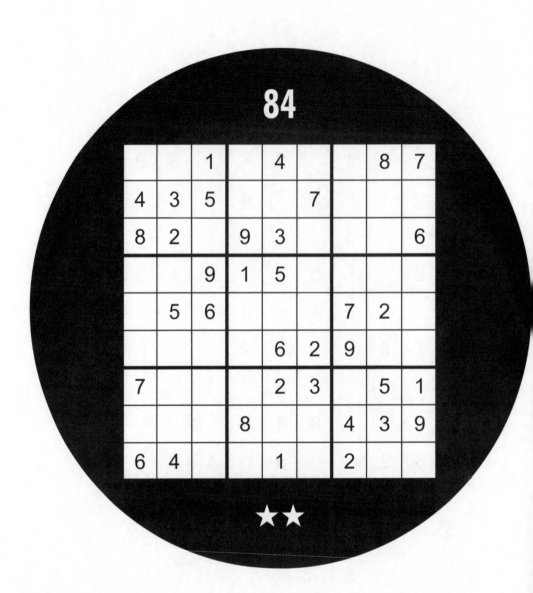

84

		1		4			8	7
4	3	5			7			
8	2		9	3				6
		9	1	5				
	5	6				7	2	
				6	2	9		
7				2	3		5	1
			8			4	3	9
6	4			1		2		

★★

85

	7			2			5	
1			9		3			7
	8	2		4		1	3	
	2	5	3		4	6	7	
6			2		5			3
	4	3	1		6	2	9	
	6	8		5		3	1	
2			6		9			8
	9			3			6	

★★

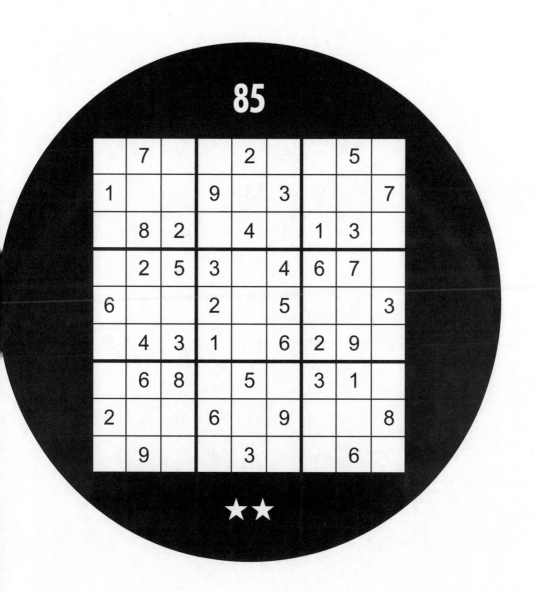

86

	1		6			7		4
6		9		3	8			1
			1				9	
5		1	9			4		2
	3			2			6	
2		8			7	3		5
	7				5			
3			2	1		9		7
9		5			4		8	

★★

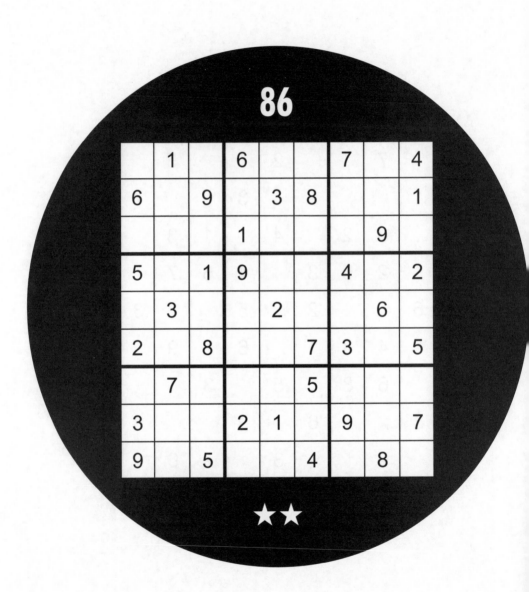

87

	4	2		5				1
					4	6	5	3
	7		8	6		9	2	
8				7	9			
4		9				3		7
			1	3				8
	1	3		9	6		4	
5	8	6	2					
9				1		5	7	

★★

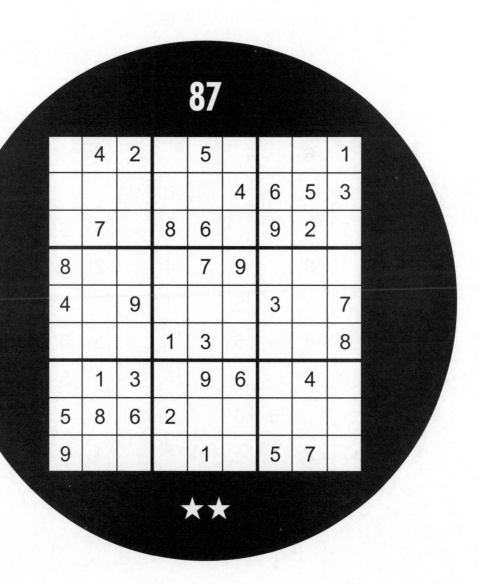

88

	6			3			7	
		8	7		6	9		
9	7			1			5	3
1	8		3		4		2	7
		7	8		1	3		
3	4		5		7		6	8
8	9			4			3	5
		5	6		3	2		
	2			8			1	

★★

89

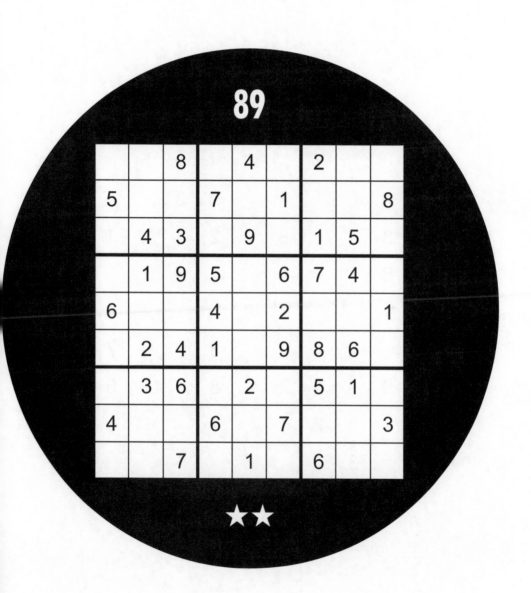

		8		4		2		
5			7		1			8
	4	3		9		1	5	
	1	9	5		6	7	4	
6			4		2			1
	2	4	1		9	8	6	
	3	6		2		5	1	
4			6		7			3
		7		1		6		

★★

90

		7		6			5	
5			4		9	3		
3			8		2	4		1
8			5			6	1	
1				8				9
	2	4			3			7
9		5	2		8			6
		2	1		7			5
	3			9		1		

★★

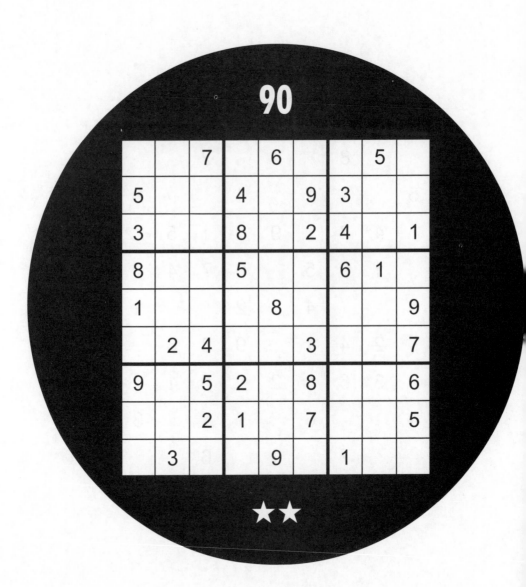

91

		4				1	2	3
9	6				3		5	
7				4	5			
		5		3	7	9		2
4			6		2			1
6		7	9	8		3		
			3	9				7
	5		1				8	6
1	7	8				4		

★★

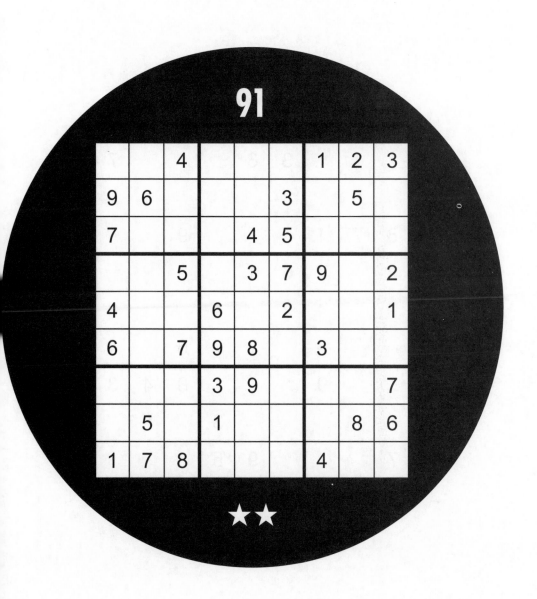

92

			3	6				7
	5		8				1	2
8	7	1				9		
2		7	6	1		3		
9			2		4			8
		5		3	7	6		4
		9				8	4	3
6	2				3		5	
7				9	5			

★★

93

1	4		2		8		3	9
		2		1		5		
9			3		7			1
		1	6	4	3	8		
6	7						1	4
		8	1	7	9	3		
7			4		1			5
		9		3		7		
5	2		7		6		8	3

★★

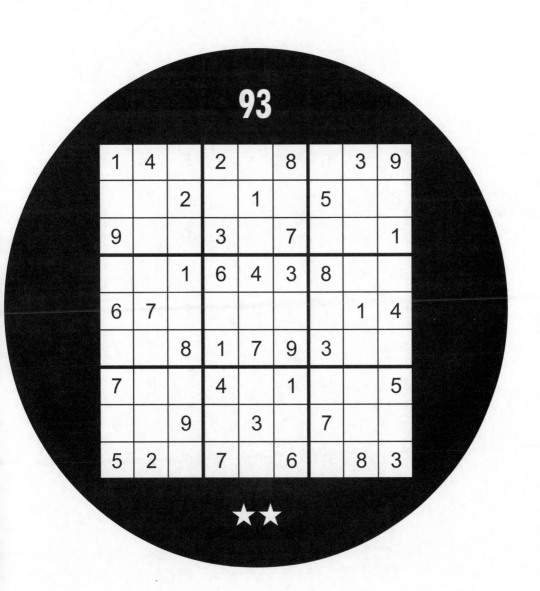

94

	9	6	3		2	5		
8				6			7	
	3		7		1	9		
3	4				8	1		
		7		2		6		
		2	9				5	7
		9	4		6		8	
	1			5				9
		8	2		3	7	4	

★★

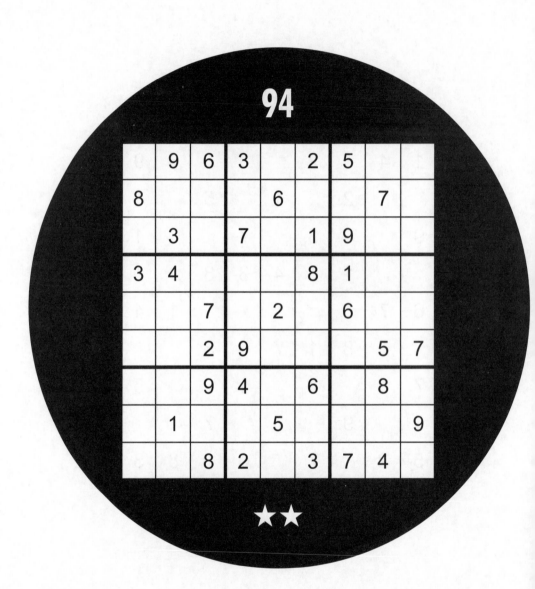

95

6	7		5				4	
1			3	8				
		9				7	1	5
2		8		3	1	4		
5			6		2			9
		3	8	7		1		6
3	2	5				9		
				9	4			1
	4				3		6	8

96

	1		5					
4		2		3		6		8
6				7	4		3	9
		4			6	7	8	5
		3				9		
8	6	1	7			4		
5	4		1	8				2
2		7		9		8		1
					3		7	

★★

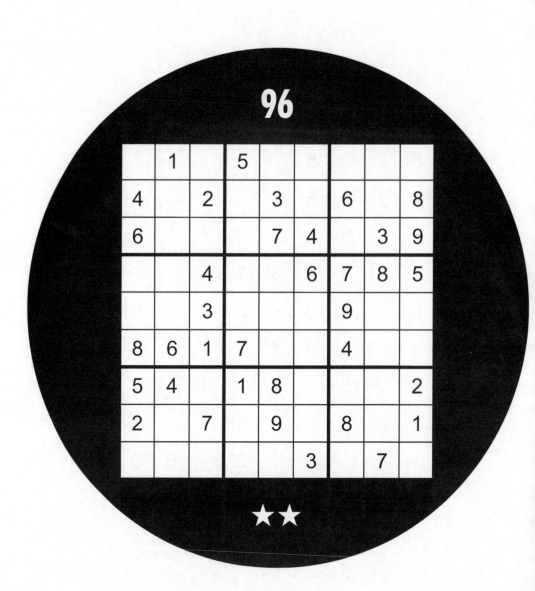

97

4			8					7
	3		1	4			9	
5	1	7				8	4	2
1					4		6	
		5	7		3	2		
	8		9					5
6	2	1				7	5	3
	5			6	2		8	
3					1			9

★★

98

		7	9	4	1			
		4		5		7	9	8
		2	8		7			
	1		3		6			5
	2	8				3	6	
7			2		5		1	
			4		3	5		
3	9	1		2		4		
			7	6	9	1		

★★

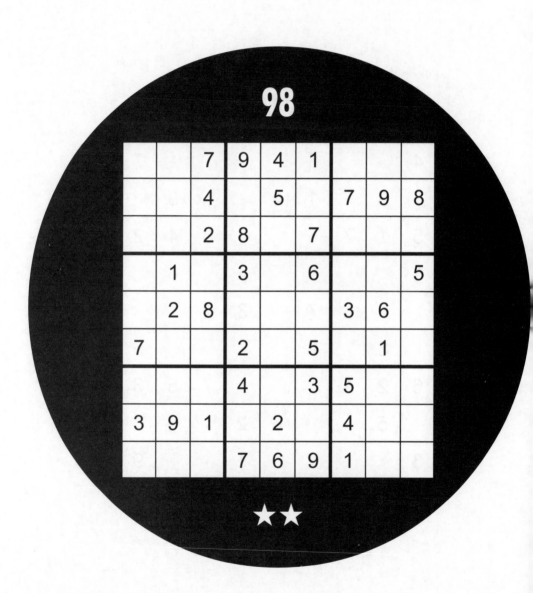

99

5		2		9	8			1
3	4	8	6					
	9			5		4		7
			5	2			3	
	1	9				2	7	
	3			7	9			
1		6		4			5	
					1	8	2	4
7			3	8		9		6

★ ★

100

3			7		4	2		
2			6		1	4		8
		5		9			3	
	6	4	2					5
8				1				7
1					3	9	8	
	2			7		8		
7		3	1		6			9
		6	5		8			3

★★

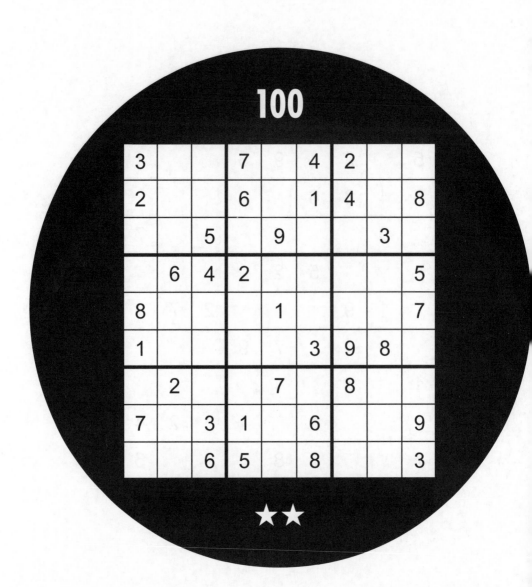

101

9								7
		4	6		9	5		
	3		7		2		8	
1		7	2		5	9		8
8		6	1		4	2		3
	5		4		7		2	
		3	9		1	8		
4								6

★★★

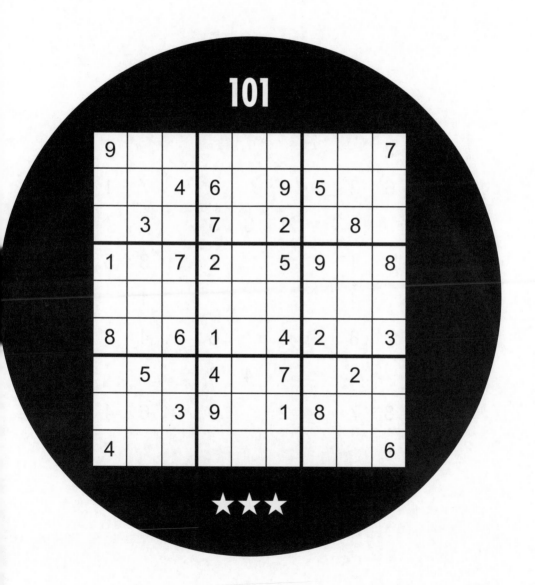

102

2								6
6	3		9		4		7	1
			1	6	3			
3	1		4		7		8	5
	4						1	
7	8		5		6		4	3
			7	4	8			
8	7		2		9		6	4
9								7

103

8	6		1	9				
			5			7		
1								
		3	4			1	6	
9				1				8
	4	1			7	2		
								3
		4			2			
			8	5			1	6

★★★

104

4		8				2		9
			6		5			
1	6						5	4
		3	2		4	8		
			1		6			
		9	7		3	5		
8	7						9	2
			8		9			
9		5				1		7

★★★

105

	3	6	4		5	1	7	
		9				6		
			1	6	3			
	1	3	5		7	8	2	
	5						1	
	2	7	8		6	3	5	
			7	5	2			
		4				7		
	7	2	9		4	5	6	

★★★

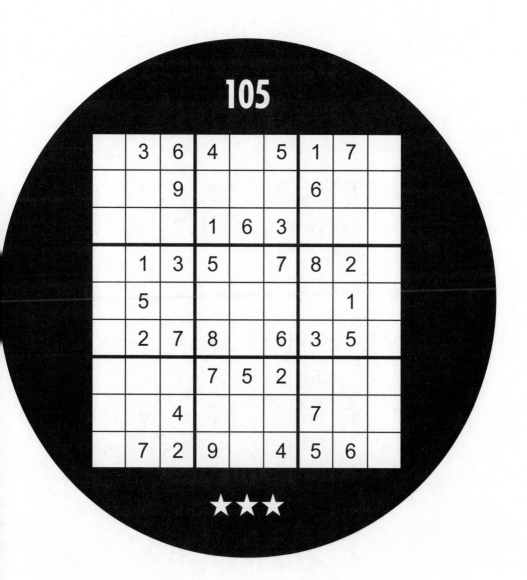

106

1			8		9			3
	6		5		4		1	
		3				2		
8		9	4		7	1		6
6		7	1		2	9		4
		5				7		
	9		3		5		8	
2			7		6			5

★★★

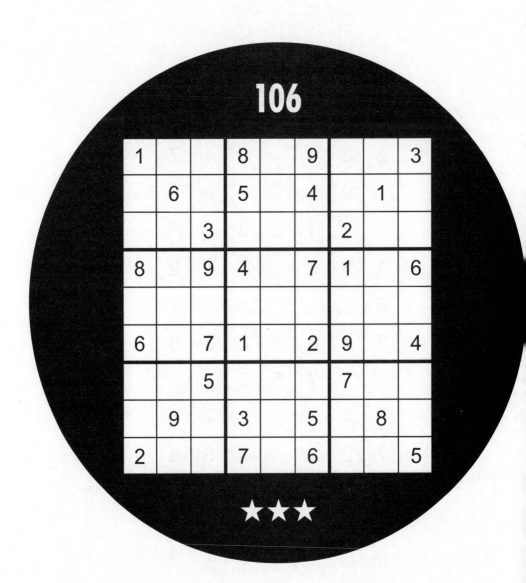

107

9	2			7				
			6		4	5		
	4				2			
	3	6	5					
	7			4			8	
					1	3	4	
			1				2	
		1	4		9			
				8			7	4

★★★

108

8								9
3				9	7			2
			2				5	
				8		6		3
4		8	6		9	1		5
7		1		5				
	7				8			
9			7	2				4
1								6

★★★

109

				6				
	6		7		8		2	
1			2		9			7
7	8		3		2		4	5
		3		5		7		
6	4		1		7		3	2
4			9		1			8
	9		8		4		5	
				3				

★★★

110

7	8		9	5		3		
5	2						4	9
				4				
					4	2		8
		2				4		
4		3	8					
			9					
1	4						9	7
		6		7	1		3	2

★★★

111

	2		8			1		
6		1	7					4
7						5	3	
		8	2					
	1						9	
					9	6		
	3	4						5
5					2	8		6
		2			5		7	

★★★

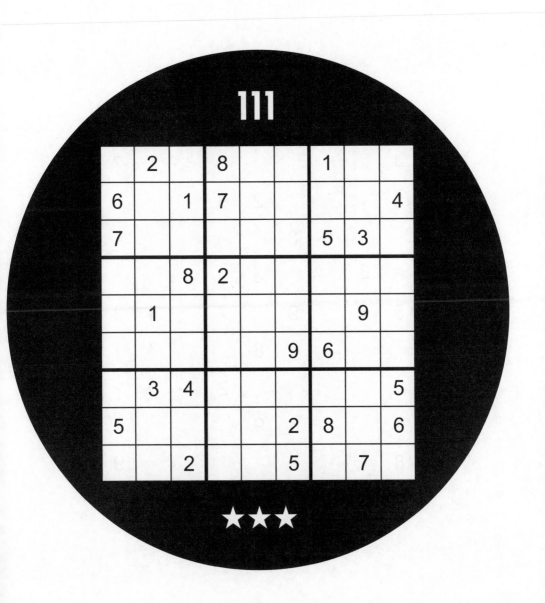

112

4								7
9				2	6			5
		6	8					
6	4			3				
5	8		9		7		4	3
				8			7	1
					2	3		
1			6	9				2
8								9

★★★

113

	9	8				3	4	
5		6				8		2
			4		9			
9			1		7			6
			3		4			
2			5		8			7
			2		6			
3		1				6		9
	6	5				2	1	

★★★

114

	1						8	
2			7		5			1
		3	4		6	2		
3	9		2		8		5	6
7	5		6		9		2	3
		5	1		4	7		
8			9		3			4
	4						9	

★★★

115

8	1			4			5	9
	5	2				3	7	
		1	2		5	9		
	6						2	
		5	8		6	4		
	9	3				6	8	
1	2			5			3	4

★★★

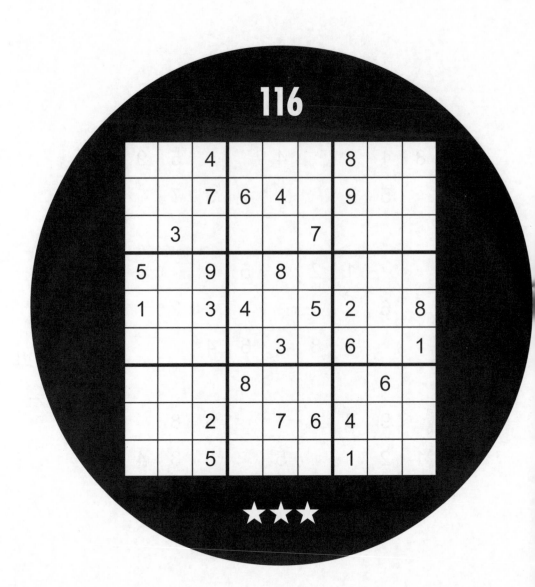

116

		4				8		
		7	6	4		9		
	3				7			
5		9		8				
1		3	4		5	2		8
				3		6		1
			8				6	
		2		7	6	4		
		5				1		

★★★

117

				6				
6			8		9			3
		9	7		4	8		
1		3	9		6	7		5
	2			8			4	
9		6	4		5	3		1
		2	3		7	1		
5			6		2			7
				4				

★★★

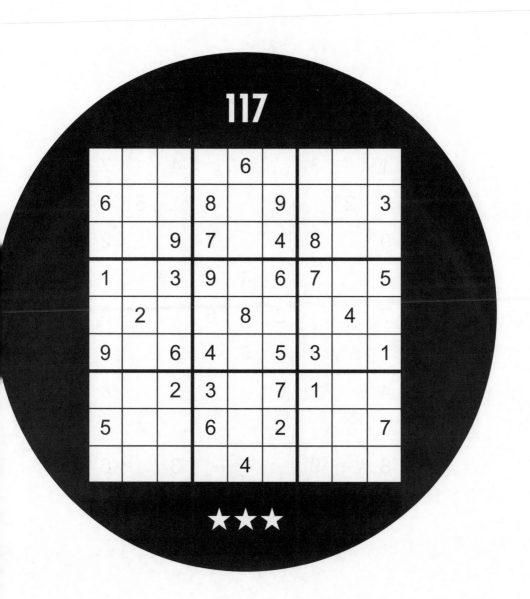

118

1		3				4		7
	2						5	
9			1		7			2
		1		4		6		
7			2		6			3
		8		5		1		
4			6		1			8
	1						4	
8		9				3		6

★★★

119

			9					6
	8			5	3		9	
	2						5	
				2		1	8	
	4	2	1		5	7	6	
	3	7		6				
	7						1	
	5		3	9			4	
3					2			

★ ★ ★

120

3						8		
				9		5		2
	6				7			
8				6			3	
6		5		2		9		4
	1		4					5
			1				4	
7		8		5				
	2							9

★★★

121

					4			8
	6	9		7				
		5					1	
	9		2					3
	2	7		6		9	8	
1					8		5	
	7					6		
				9		5	4	
2			3					

★★★

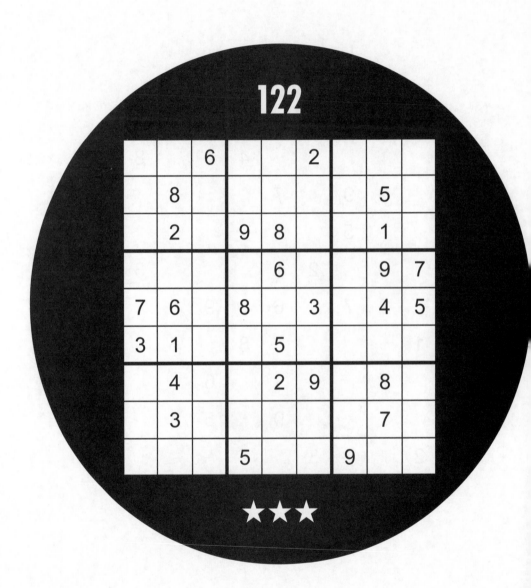

122

		6			2			
	8						5	
	2		9	8			1	
				6			9	7
7	6		8		3		4	5
3	1			5				
	4			2	9		8	
	3						7	
			5			9		

★★★

123

	9		3		1		
	1		8		9		2	
2			5		4			3
5		7				2		1
	9						7	
8		6				5		9
1			6		3			8
	4		1		7		6	
		3		5		9		

★★★

124

		2			9		8	7
7				2			1	
	4	6				5		
9		4			7			
			3			7		5
		8				6	5	
	1			3				4
2	5		6			9		

★★★

125

					3			
9	5						3	8
		7	9	8			4	2
5		4			6			
		2				5		
			5			2		6
8	6			1	3	4		
1	2						5	3
				5				

★★★

126

7								1
9		3	1		8	7		5
			5	9	7			
6		9	3		2	5		7
		4				9		
2		5	7		9	4		6
			6	3	4			
4		7	9		1	6		3
3								8

★★★

127

3		1		8		4		6
	6	3			1	2		
5								3
			1		8			
9								1
			6		5			
4								9
		2	4		9	8		
1		7		6		5		2

★★★

128

4	7						9	2
		1	9		2	8		
		3				1		
7				4				1
		6	7		3	4		
5				6				3
		5				7		
		2	8		9	5		
8	9						3	6

★★★

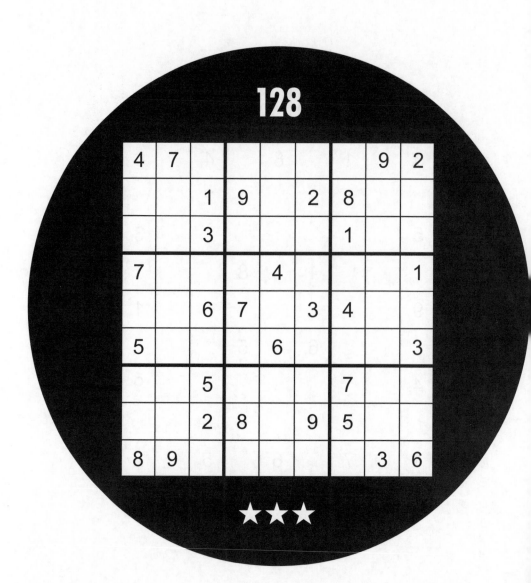

129

	2	9				8	4	
5	3			7			2	1
		2	6		5	7		
	6						9	
		3	2		9	1		
3	9			2			8	7
	1	8				6	5	

★★★

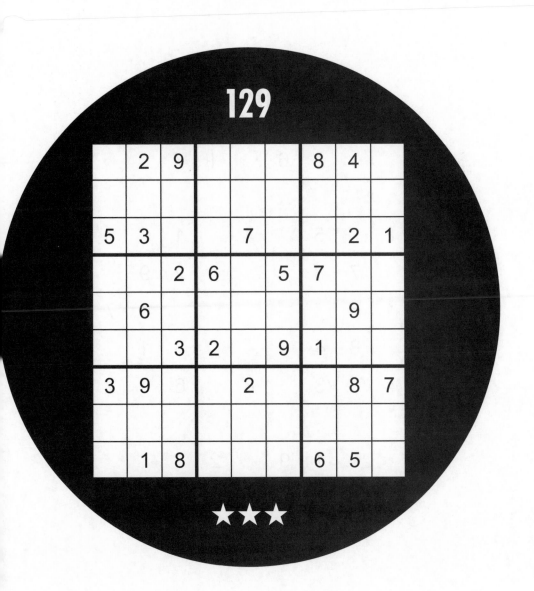

130

		2	6		1	7		
8		5		4		1		9
	7	8				2	9	
1	5						6	7
	3	4				8	1	
4		3		8		6		2
		1	9		2	3		

★★★

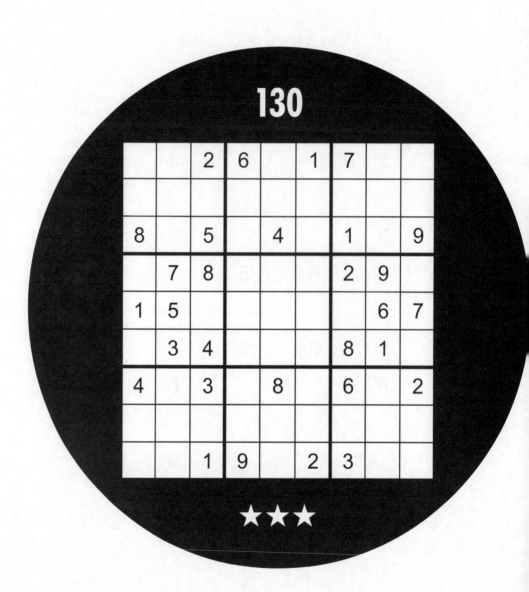

131

	8	3						
6					3			7
	1	9		6				
			5				8	4
	6			8			2	
3	4				7			
				2		8	6	
5			9					2
						3	1	

★★★

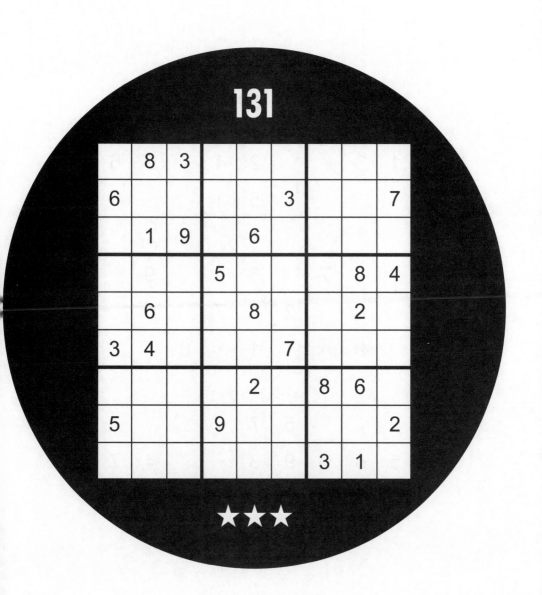

132

1	3			2	4		8	6
				5	1			
						2		
		7		6			9	
	8		2		7		6	
	9			1		8		
		9						
			5	7				
5	6		9	3			4	7

★★★

133

	6	5						
	2	3		7				
7			1					8
					9	4		6
		7		2		3		
4		2	8					
9					6			3
				3		5	1	
							2	6

★★★

134

6			4					
			7	2		9	8	
							5	
5					6	8		9
	3			9			2	
9		6	1					4
	9							
	2	8		3	9			
				7				1

★★★

135

9			6		2			4
		7	8		4	2		
				9				
6		2	4		5	1		3
	5			1			2	
3		9	2		7	4		5
				5				
		3	7		8	6		
8			3		6			1

★★★

136

		2			5			7
	5				2	3	4	
9		6					5	
		3	2					
1								8
				8	4			
	7					5		9
	4	1	7				6	
2			3			1		

★★★

137

	1	7				6	4	
			2		3			
2		9				7		3
	6		8		5		3	
			9		2			
	5		4		7		1	
8		1				4		6
			1		6			
	3	6				8	9	

★★★

138

	9		3		1		8	
5			4		7			3
		4				2		
		7	8	1	9	3		
	6						5	
		8	6	5	3	7		
		9				1		
4			1		6			7
	1		5		8		2	

★★★

139

6								
1	2		7	5				
			4			9		
		4	8			2	9	
5				2				3
	1	2			9	6		
		8			7			
				3	2		1	5
								2

★★★

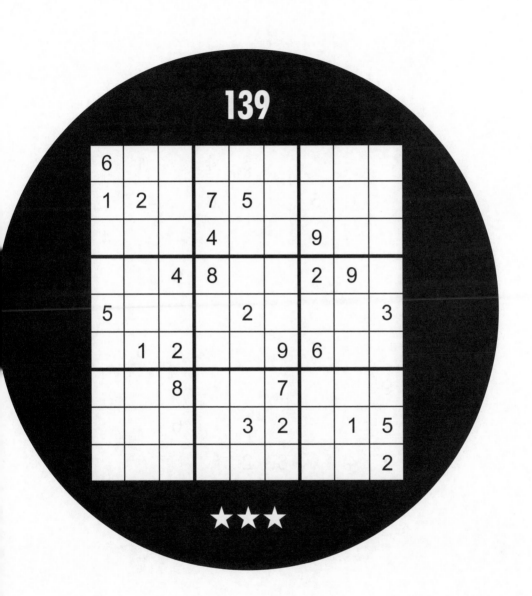

140

				3	4		1	2
		5			8			
								4
	1	4			6	9		
2				4				3
		7	5			4	6	
9								
			7			6		
1	4		8	2				

★★★

141

6								
					1	3		
2	7			5	6			
		9			8	6	7	
5				6				2
	8	6	3			4		
			1	2			6	7
		8	4					
								9

★★★

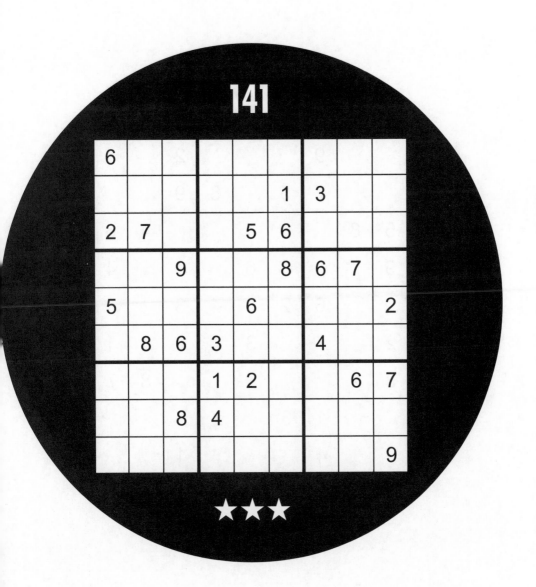

142

		9				2		
		7	5		8	9		
5	8						4	6
9				6				4
		6	2		4	3		
2				3				1
3	2						8	7
		1	8		7	5		
		4				1		

★★★

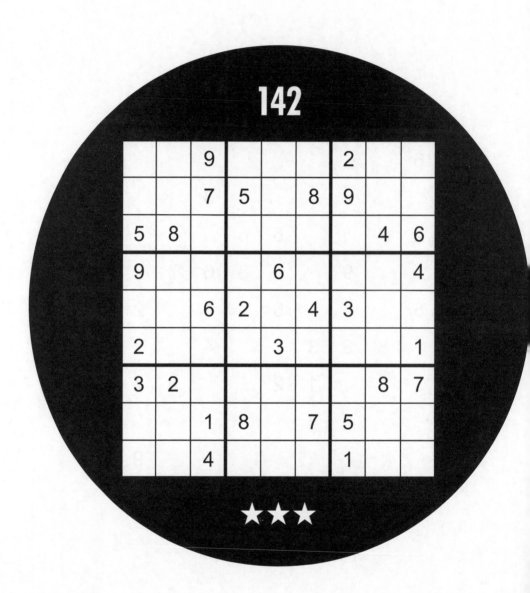

143

			4	7	8			
	7						1	
	8	2	3		9	4	7	
	6	5	2		3	8	4	
		8				3		
	4	3	7		6	5	2	
	3	7	9		1	2	5	
	2						9	
			5	3	2			

★★★

144

6		3				2		5
				2				
	8			5	6	9		7
					3		7	1
	7						3	
3	9		1					
5		1	2	4			9	
				3				
4		7				3		2

★★★

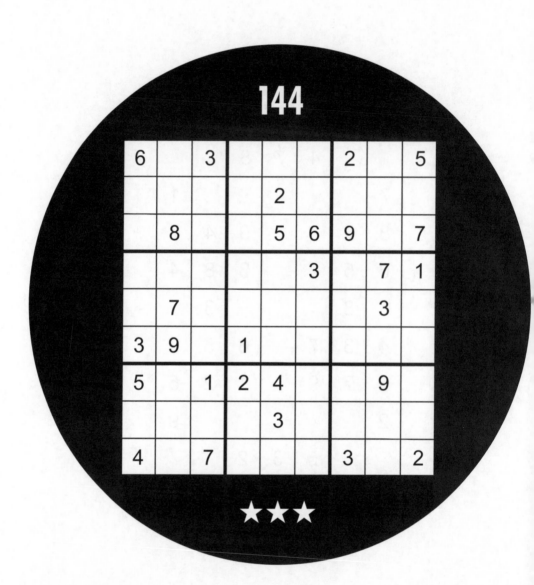

145

	4		5		8		9	
		8				7		
	7	2				4	3	
6			4	9	3			5
8			2	6	1			7
	2	9				5	7	
		6				3		
	5		1		7		8	

★★★

146

6			1		8			7
8	9						5	1
		3				6		
	1			3			4	
5			6		2			8
	2			9			1	
		9				1		
2	5						7	4
4			2		1			9

★★★

147

8			6		9			7
		9	2		3	5		
	1						9	
	7		1	9	2		4	
		6				3		
	2		4	3	6		7	
	8						5	
		1	9		4	2		
3			7		8			4

★★★

148

		5	7	9	1	4		
	2	1	4		5	8	3	
1		2	5		8	9		4
9								8
5		3	9		6	2		7
	5	9	6		4	7	8	
		8	1	7	9	5		

★★★

149

		2	3		7	6		
		8				2		
4	9						7	3
9				4				2
		5	8		9	4		
1				5				8
6	7						8	5
		1				9		
		3	7		6	1		

★★★

150

		8	3		2			
				6			2	5
				8				9
4		1			7			
5				2				6
			8			4		2
2			9					
9	3			5				
			2		1	7		

★★★

151

			6	4	8			
7				3				9
4	2		7		9		3	8
	3						2	
9								7
	1						5	
3	6		2		7		8	1
5				6				2
			5	1	3			

★★★

152

	8		7		3		
			9	2	5			
4	2	8			3	5	7	
7							4	
	3					8		
1							6	
9	7	4			8	1	5	
			6	1	7			
	6			9		4		

★★★

153

	5						3	
		2	1		3	7		
8			5		4			6
	8	3	4		2	5	9	
	6	4	9		7	1	8	
4			7		5			2
		8	3		9	6		
	1						7	

★ ★ ★

154

	5	4				2		
6				1			9	
		1	3				8	6
3		5	6					
					7	6		2
1	2			4	3			
	9		7					5
	8				4	2		

★★★

155

	5	9	6		8	1	7	
		8	4	3	9	6		
9		5	8		1	3		6
3								1
8		7	3		2	5		4
		1	9	4	3	8		
	8	3	2		6	4	1	

★ ★ ★

156

	9						1	
	7		4		1		5	
3		4		6		2		8
7				1				9
		6		5				
9				2				3
4		1		5		8		7
	6		2		8		3	
	2						9	

★★★

157

	4	2	5		1	3	8	
		9		4		5		
			9	3	2			
	3						9	
		7				1		
	2						5	
			4	6	8			
		1		2		7		
	5	6	1		7	8	2	

★★★

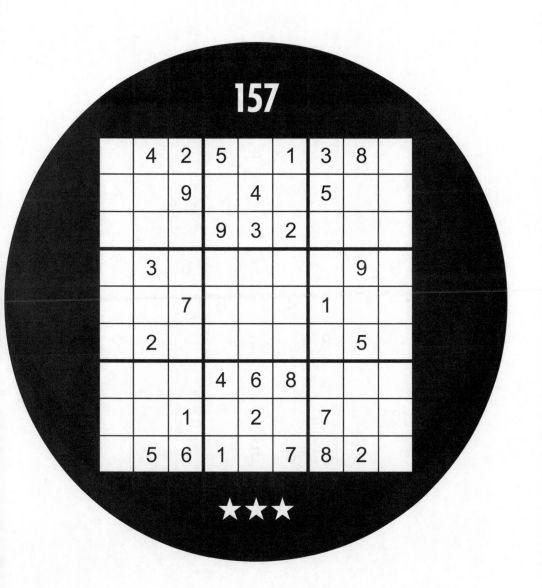

158

	3	5		4	9	2	7	
								4
				1	3			
6				7		8		
		2	4		6	7		
		8		3				2
			1	6				
8								
	1	7	8	5		9	6	

★★★

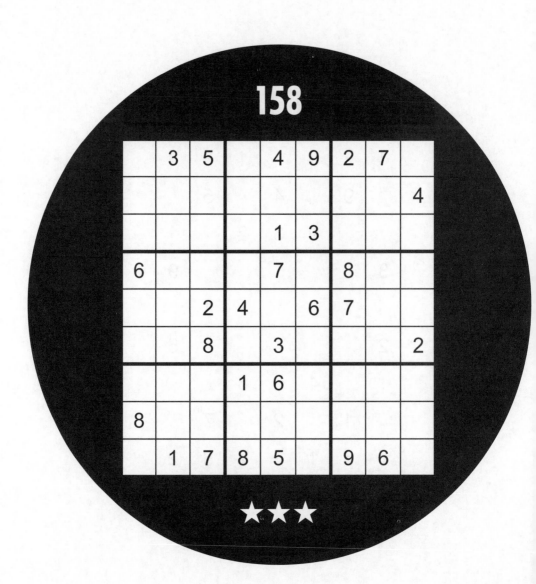

159

3			7	1				
4					9			
6				2		5	9	3
	4					3		
9		1				2		8
		3					7	
7	8	5		4				6
			8					2
			6	3				7

★★★

160

2			3		9			
				1		6	5	
					6	9		
7		9			4			
		8		9		1		
			2			7		3
		6	4					
	9	1		8				
			9		5			4

★★★

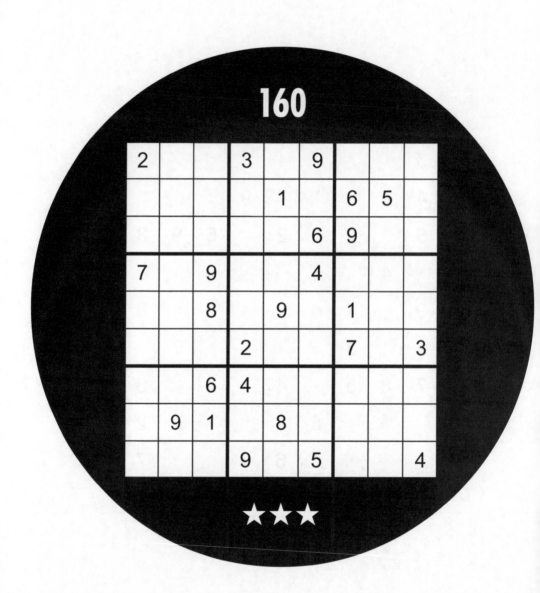

161

9			5		7			8
	6		3		2		1	
		8		6		4		
4		6				2		1
	1						7	
7		5				8		3
		9		2		3		
	8		7		9		6	
1			6		8			5

★★★

162

9			8		6			1
	2		9		1		7	
				7				
2	5		6		4		1	7
		6		9		3		
8	4		1		7		5	2
				6				
	8		7		3		4	
5			2		8			3

★★★

163

		5		7		9		
	6						1	
9			2		8			6
	7	8	9		3	5	2	
			5		1			
	5	1	8		7	3	6	
5			3		2			4
	2						3	
		4		1		8		

★★★

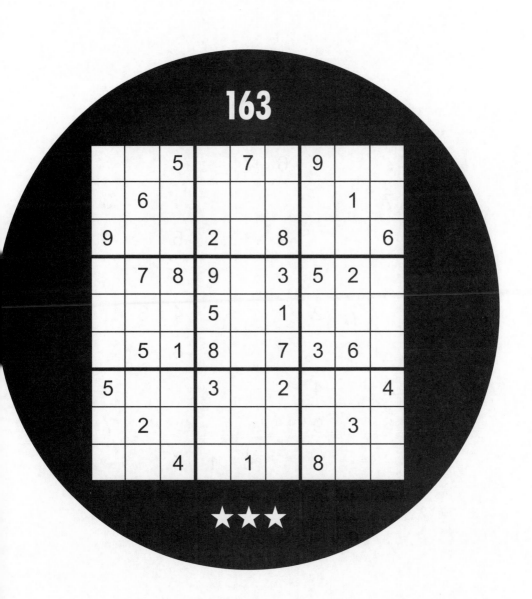

164

		1	6	7				
7						1		3
3			9			6		4
		3			9			
	7	2				4	3	
			7			8		
2		4			7			8
6		9						7
				6	1	5		

★★★

165

4	3			5			1	7
2			8		1			4
5		9				8		1
	2	6				7	9	
3		4				2		5
1			7		2			9
6	5			3			8	2

★★★

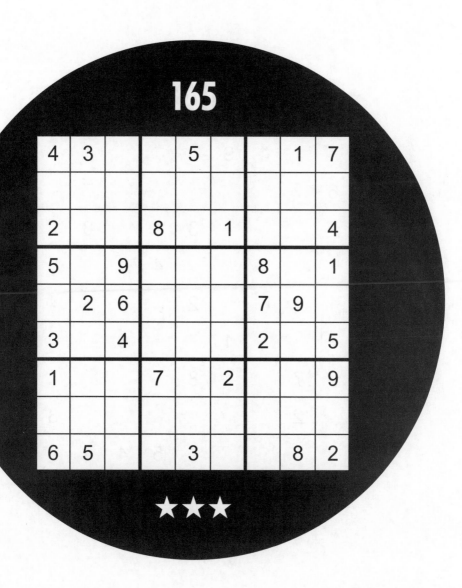

166

		1	9					
6							7	
				3			8	2
	5				4			8
1	8			2			3	4
7			1			6		
9	7			8				
	2							3
					5	4		

★★★

167

		8	5		4	2		
		2				1		
4	5						7	9
2				9				7
		9	7		1	6		
1				6				3
6	1						5	8
		7				3		
		3	8		5	4		

★★★

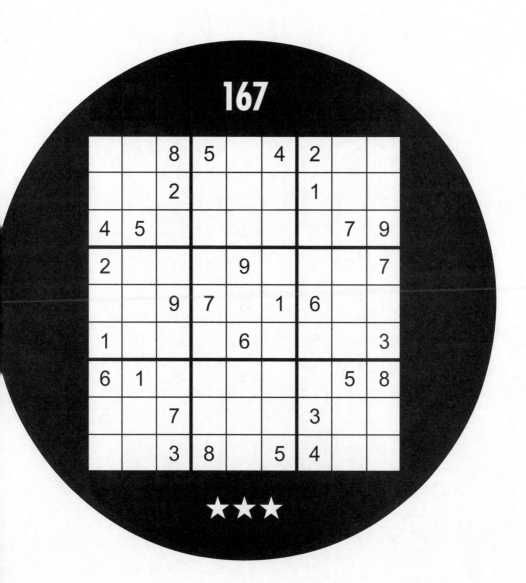

168

					6		4	
3						7		
5		8		1				
	6				4	1		
1		2		3		4		7
		5	2				9	
				7		3		1
		9						5
	2		8					

★★★

169

					2	8		
7	6			5				
	4							3
		3			8			4
1	5			7			6	8
6			1			9		
5							7	
				6			4	2
		1	9					

★★★

170

	6						5	
	1	9				3	7	
		7	4		3	2		
2			9	6	4			3
6			8	1	5			7
		8	7		2	1		
	9	3				5	8	
	2						3	

★★★

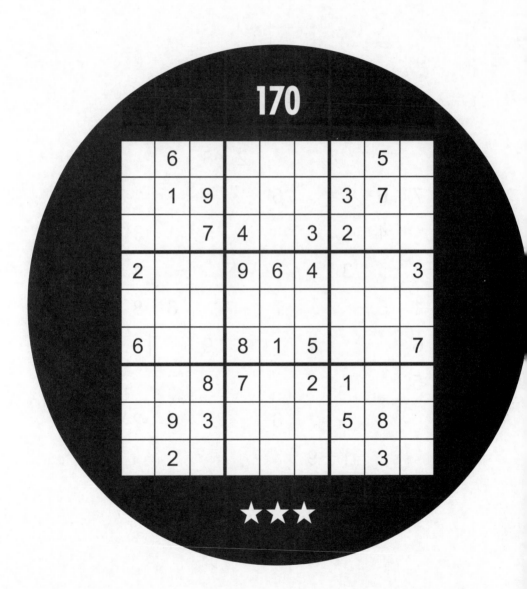

171

2	1						6	3
	8	9		7		5	2	
9			8		7			1
	3						8	
7			6		3			5
	9	6		5		1	7	
8	7						4	2

★★★

172

5		4	3		6	8		9
8			7	5	9			4
9	6		8		4		7	2
	4						9	
2	5		9		3		8	1
6			5	9	7			8
4		1	6		8	2		7

★★★

173

4	5		3		6		1	2
	1						7	
			5	1	2			
9	8		6		4		2	5
5								6
6	2		8		1		4	9
			4	6	9			
	4						3	
1	6		7		3		9	4

★★★

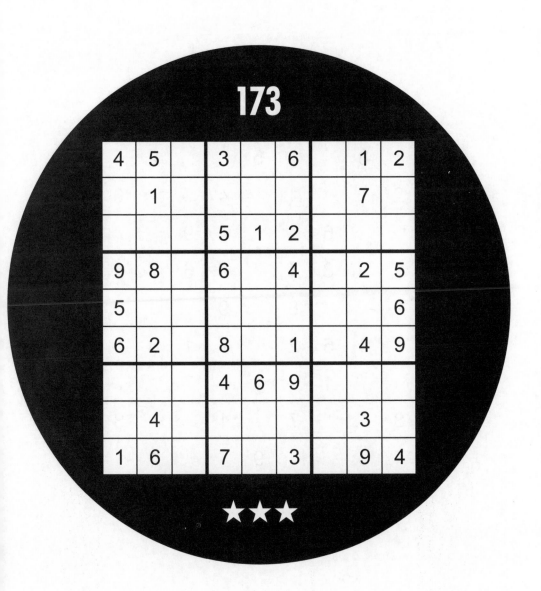

174

	8			5			2	
2				1		4		6
		6				9		
	9	8	4		5	6	7	
			8		9			
	4	5	2		7	1	8	
		1				7		
8			7		1			3
	3			9			4	

★★★

175

9		6		1	3			
4								
					8		5	
	8				2	5	6	
1				6				7
	6	9	5				4	
	2		3					
								6
			6	7		9		1

★★★

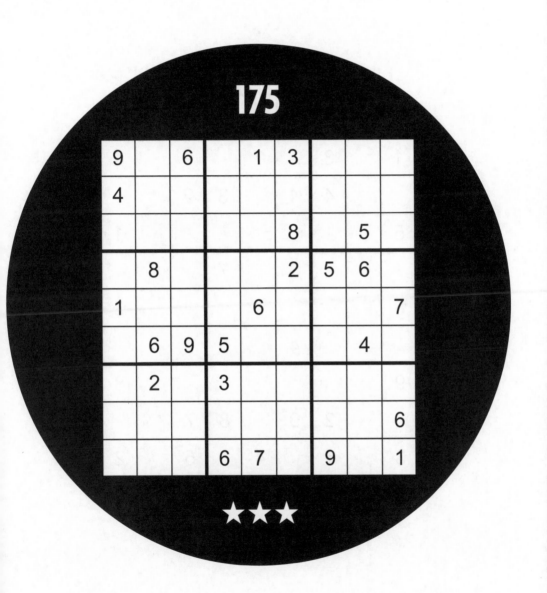

176

1		3		7		9		4
		4	1		3	2		
5								1
			3		7			
8								3
			4		5			
9								8
		2	9		8	7		
3		6		4		5		2

★★★

177

		1	8		6	2		
	5			7			9	
4			9		1			6
5	7						1	4
		8				5		
6	3						8	7
9			2		7			3
	6			9			5	
		3	5		4	6		

★★★

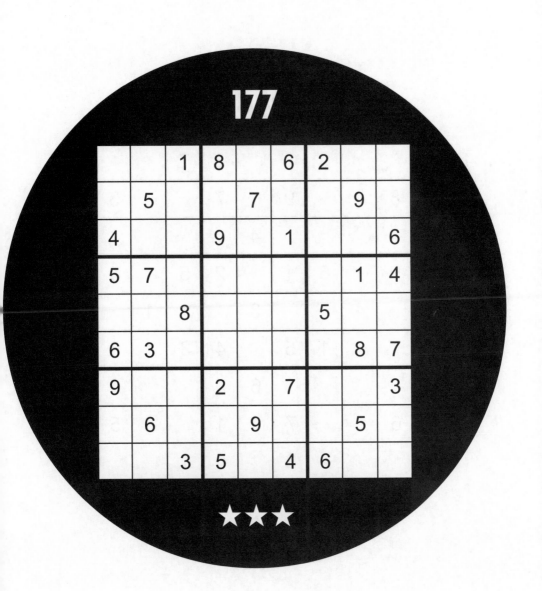

178

		9	2		8	7		
8			9		7			3
				4				
9		6	1		2	5		4
	4			3			1	
7		1	5		4	3		9
				6				
6			7		1			5
	2	8			5	1		

★★★

179

		2				5	4	
		5			8	9	6	
	4			2	6			
					2		7	
2	3						9	5
	5		8					
			4	6			1	
	9	3	2			7		
	8	6				2		

★★★

180

		7	2		5	6		
9		5				2		4
	1						7	
2				1				8
		4	7		3	5		
3				9				2
	9						2	
4		3				8		6
		8	3		2	9		

★★★

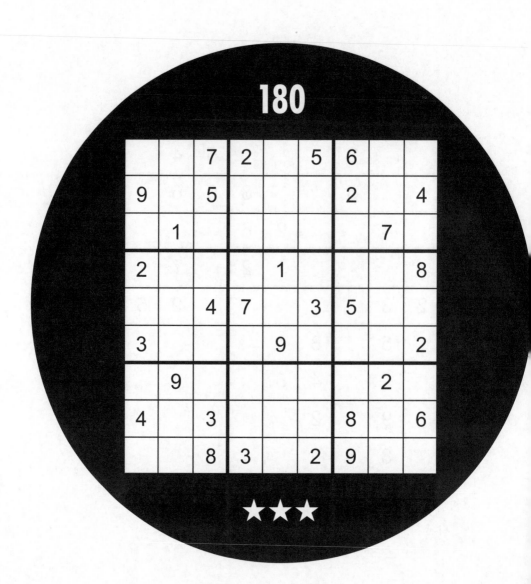

181

	1	3				9	4	
2		6				3		8
			2		8			
	9		5		7		8	
			6		2			
	7		4		3		1	
			1		9			
5		1				4		9
	8	9				5	6	

★★★

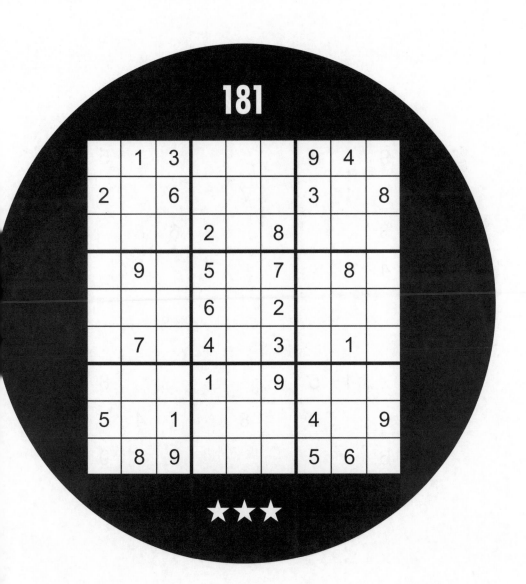

182

9		6						5
	1			7		2		
3					9	6	8	
4	6				7			
			4				3	1
	4	5	3					8
		2		8			4	
6						1		9

★★★

183

				2		6		4
	1		3				2	
						7		3
	8	7			5			
		9		7		2		
			1			8	3	
3		6						
	9				4		5	
7		2		9				

★★★

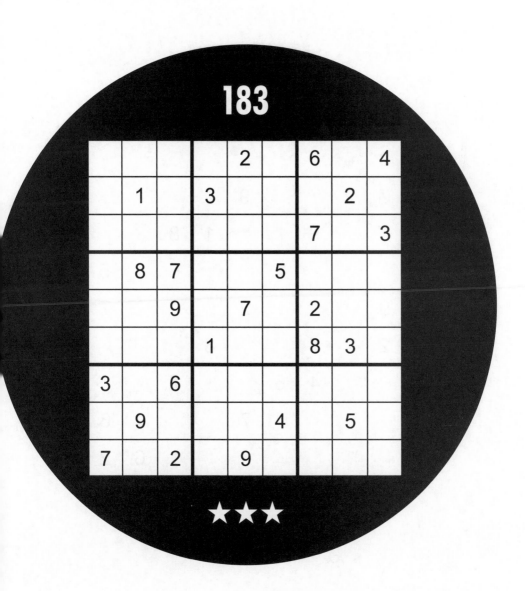

184

3	6							
7	2			9				
		9			1	8		
		4				6		5
9				2				7
2		5			8			
		4	6			7		
			7				1	3
							6	2

★★★

185

			5	7			2	1
		9	6					
								4
	9	2	3			6		
8				2				7
		4			9	2	1	
2								
					5	3		
7	1			8	2			

★★★

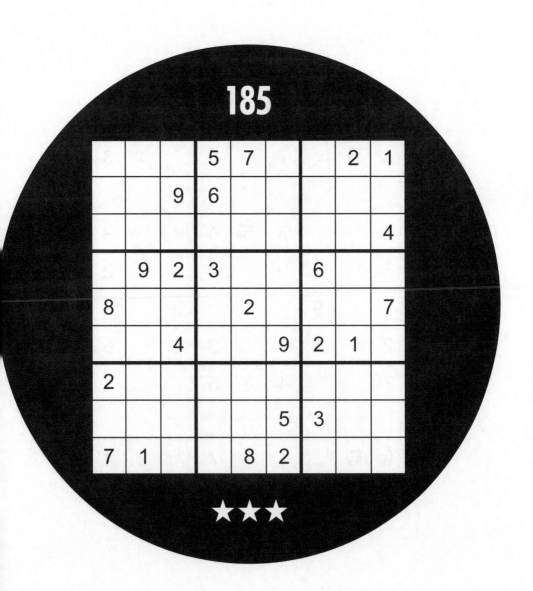

186

5	9		7		8		1	3
1			3	5	4			9
3		7	9		1	4		2
		9				3		
2		5	8		3	1		6
7			4	3	5			1
9	6		1		7		2	4

★★★

187

			1				3	
5		2	8	6				
		8						
9	8				3		7	
		6		8		2		
	4		9				8	5
						4		
				2	1	5		8
	9				7			

★★★

188

5		7		1		8		9
		3	4		7	6		
	5	6				9	3	
3	4						8	7
	7	9				1	2	
		2	5		6	7		
6		4		9		2		1

★★★

189

			1		2	9	8	
				9				1
			6		8	3	4	
	2	8	7		4	6		
7								8
		6	5		1	4	2	
	9	2	8		5			
6				1				
	7	1	3		9			

★★★

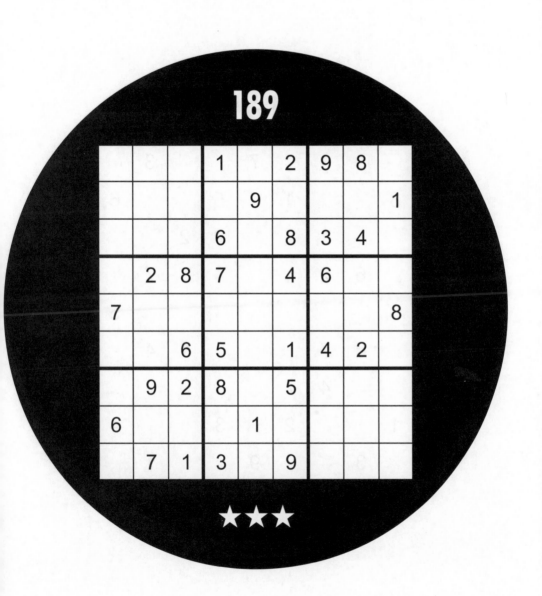

190

	9			7			3	
8				1		5			6
		1	6		9	2		
	6	2					3	7
3								5
	5	7				1	4	
		4	7		8	9		
1			2		3			4
	3			9			1	

★★★

191

	3		7		2		4	
8	6						9	3
7								6
		1	9	4	3	2		
		7	5	1	8	6		
1								9
4	8						6	2
	2		6		5		7	

★★★

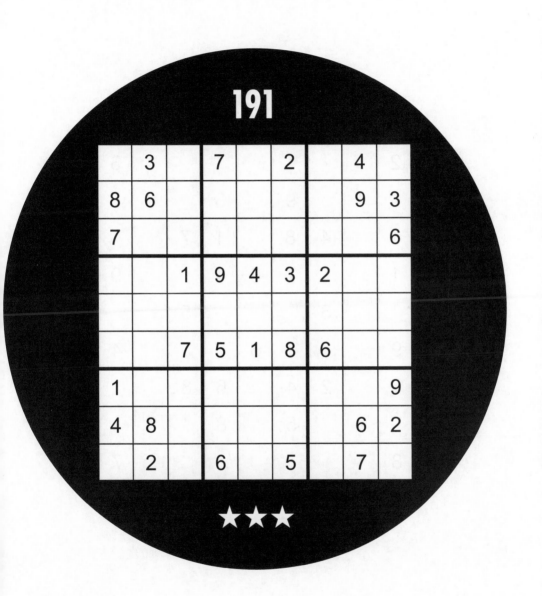

192

2								3
	1		9		3		6	
		4	8		1	7		
1			7	8	4			9
		6				5		
9			1	6	5			4
		2	4		6	8		
	9		5		8		3	
8								7

★★★

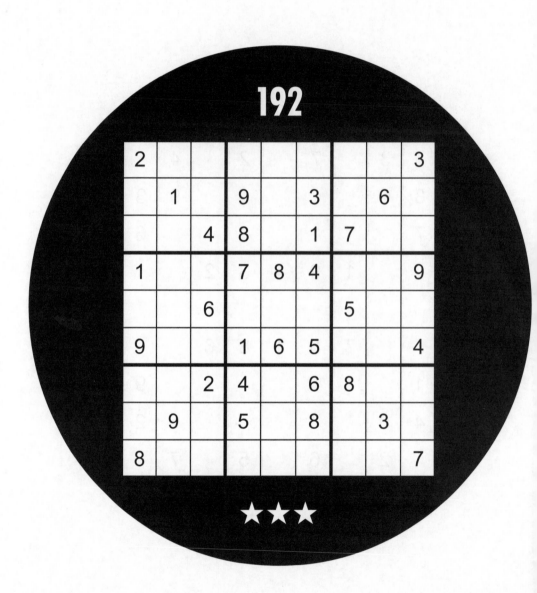

193

		2		3		9		
			7	8	5			
	6	8	2		9	5	3	
	1						4	
		9				2		
	3						6	
	7	3	6		2	1	5	
			4	1	3			
		4		7		6		

★★★

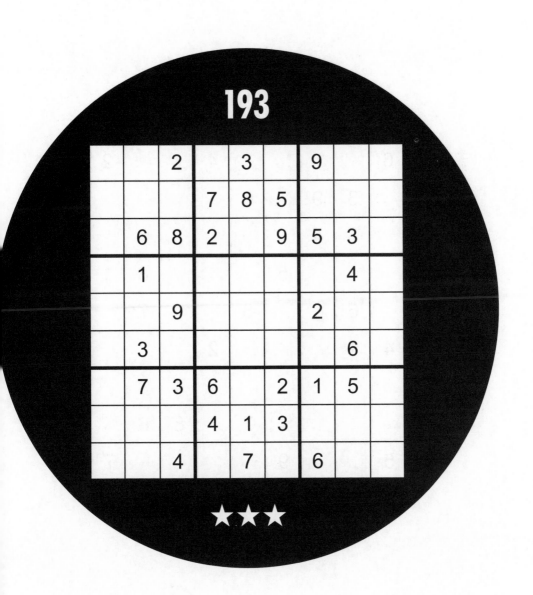

194

6					4			2
	3	9		6				
	8	4						
			5				8	1
	6			8			7	
4	1				2			
						4	3	
				7		8	6	
5			9					7

★★★

195

								9
	8	4	9	2		7	3	
			7	4				
5				1			9	
	3		6		4		5	
	9			3				4
				7	1			
	5	3		6	8	1	2	
6								

★★★

196

		3				1		
9				1	6		5	
6	8			7				
					1	9		
7				8				2
	3	4						
			2			6	7
2		7	4				8
	4			5			

★★★

197

9			7	1	5			4
1	4		8		2		9	7
7		8	4		9	5		6
		4				7		
6		1	2		7	9		3
4	3		9		8		6	5
8			5	7	1			9

★★★

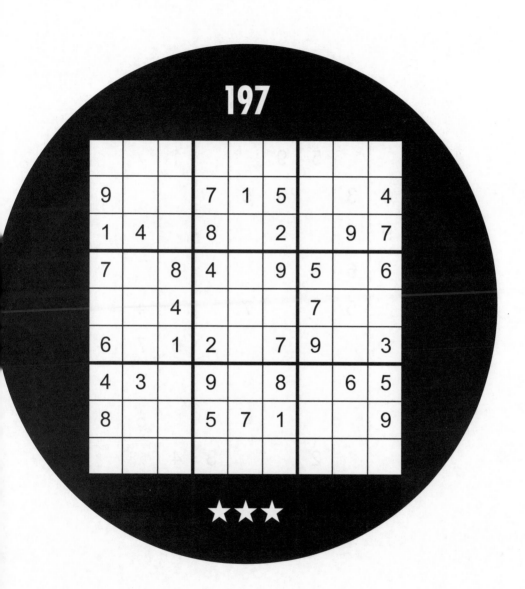

198

		5	9			1		
8	3			5				
9	7							
	6	9	1					
	5			7			4	
					2	6	7	
							3	9
				4			5	7
		2			8	4		

★★★

199

	6		2		4		5	
8								2
5	7						8	3
		8	9	1	3	2		
		4	7	6	5	1		
4	8						3	6
7								1
	2		8		9		4	

★★★

200

				1			4	9
	3				2	1		
							8	2
8	5	7						
6			8				1	
				3	2	5		
2	4							
	6	9			7			
8	1		6					

★★★

201

	7		6		9		8	
		9				1		
3	6			4			9	7
2				1				9
			5		3			
9				2				4
6	2			8			4	1
		3				5		
	8		9		2		3	

★★★

202

			5				3	
9			3		4			
				2		1	5	
6	3		7					
	8			3			2	
					9		6	4
	2	3		8				
			1		3			7
	5				7			

★★★

203

9					5	7		3
5						6		2
		8		2	4			
					6	1		
	1	7				3	5	
		9	5					
			2	5		4		
1		4						5
7		2	6					1

★★★

204

	8	7		6		2	3	
	9		8		5		4	
8	2						6	1
5		9				8		3
7	4						2	9
	1		4		7		8	
	5	4		2		6	1	

★★★

205

		2	7		9	4		
	5		6		8		7	
6								1
8			4	9	2			7
		3				5		
4			3	5	7			8
2								9
	6		9		3		8	
		9	5		4	1		

★★★

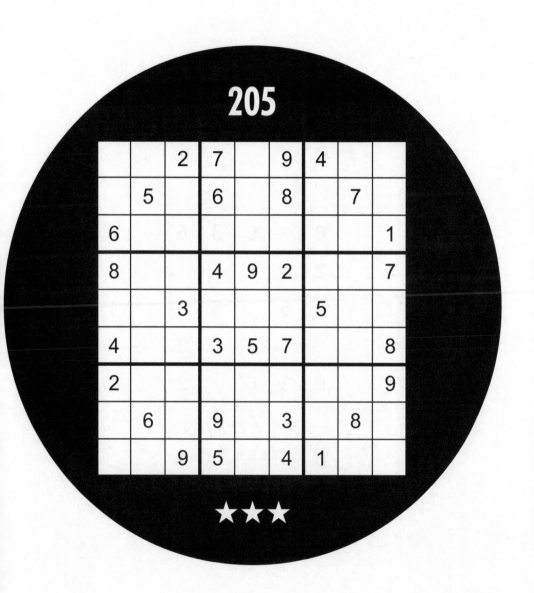

206

		5				7		
			1				3	
		8		9	3	6		
5		2		1				
7		4	6		5	8		1
				4		3		7
		9	3	6		2		
	4				9			
		6				1		

★★★

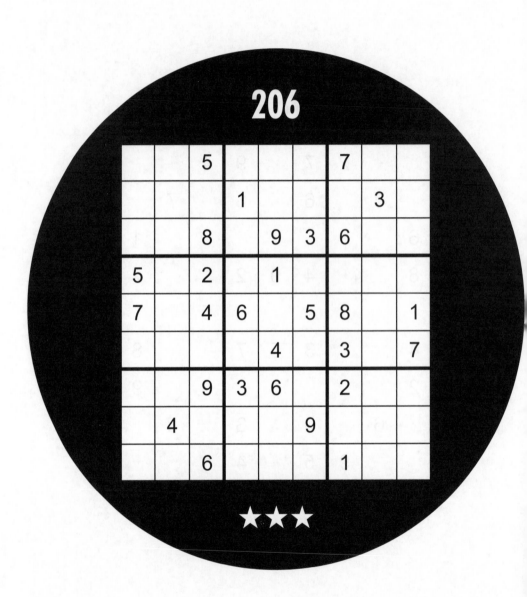

207

3			5		7			2
		5	2		1	4		
				6				
4		1	7		9	2		3
	5			8			6	
9		7	3		6	1		4
				7				
		9	6		2	8		
7			9		8			1

★ ★ ★

208

2	8						6	9
		3				7		
	7		6		8		4	
1				2				6
	9		7		1		8	
6				3				5
	5		1		6		2	
		2				6		
9	1						5	4

★★★

209

		8	9		5	6		
9			6		4			5
			7					
3		7	4		2	5		1
	2			8			7	
8		5	7		3	9		2
				1				
2			3		6			4
		3	2		9	1		

★★★

210

1	6						8	5
9	7		5	1		4		
				8				
					8	6		7
		6					8	
8		4	7					
				5				
		2		9	3		4	6
3	8						5	9

★★★

211

	7		5		9		8	
9			3		8			1
				2				
5	6		2		7		1	3
		9		4		2		
3	1		6		5		7	8
				5				
6			8		2			4
	5		4		6		3	

★★★

212

	1		7		3		2	
		5	8		6	3		
3								8
8		6	4		5	9		1
1		2	9		8	6		4
7								5
		4	2		1	7		
	6			3		9		4

★★★

213

	2		5		1		9	
3	1			4			7	6
	9	3				2	6	
2		5				7		1
	6	1				8	4	
9	5			6			8	4
	8		3		9		1	

★★★

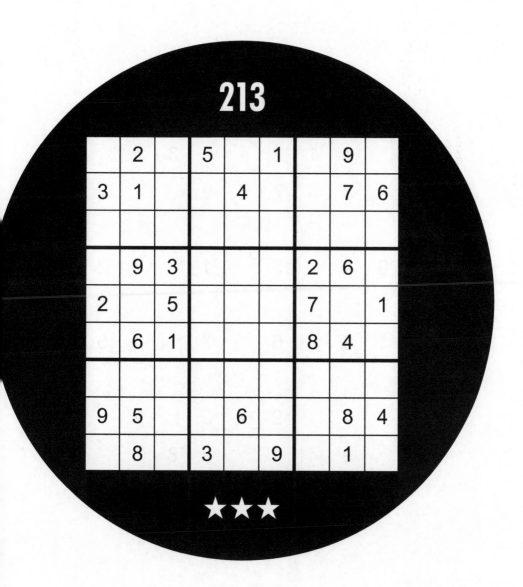

214

	7	1	2		6	3	5	
	3		7	5	9		1	
9	4		3		1		7	2
7								3
1	8		6		7		4	5
	1		9	7	5		2	
	9	4	1		2	8	3	

★★★

215

	8	7	3		9	2	5	
	9		4	6	8		3	
8	7		9		5		6	3
6								5
9	2		6		1		7	4
	5		8	4	6		9	
	6	9	1		3	5	4	

★★★

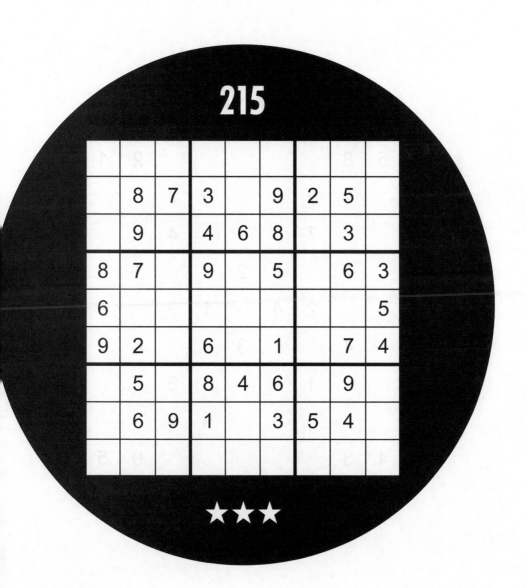

216

5	8						2	1
		9	8		5	7		
		7				4		
	7			2			1	
		2	4		1	3		
	4			3			6	
		1				6		
		6	5		9	8		
4	3						9	5

★★★

217

			3	1	9			
		6		7		3		
8		1	6		5	9		7
6								9
		5				2		
3								1
9		8	5		2	4		6
		2		9		5		
			7	4	8			

★★★

218

	6						8	
		7	6		1	3		
2			5		8			9
1	3		4		9		7	5
8	7		1		2		4	6
7			8		4			3
		1	9		6	2		
	5						9	

★★★

219

7				5				8
		8	6		9	4		
	3		2		1		5	
8		2				9		6
	9						3	
1		3				7		5
	5		9		4		8	
		6	5		8	3		
2				1				4

★★★

220

			4	8	9			
	5			3			7	
9	3	7		5		6	8	
		6				3		
7							5	
	1					2		
2	9	6		7		4	3	
6				4			1	
		1	2	3				

★★★

221

8				9		6	4	7
7			5	1				
3					4			
	3					7		
4		1				9		2
		7					5	
			2					9
				8	7			5
5	2	6		3				8

★★★

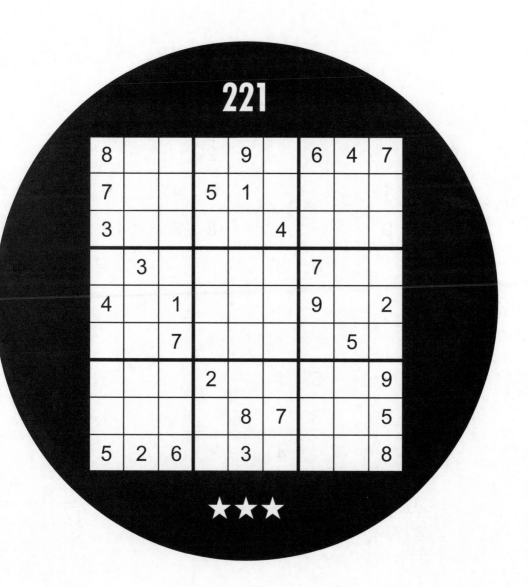

222

		4		1	2			
1						4		9
9					8	2		5
		9	8					
	1	6				5	9	
					1	3		
6		5	1					3
2		8						1
			4	2		7		

★★★

223

	6	3				7	2	
4		2				6		1
			2		3			
2			8		6			4
			9		1			
8			5		7			3
			4		9			
3		5				2		7
	9	1				5	4	

★★★

224

			9	7				
5	9		1	2			4	6
					2			
		8		4				3
6			8		2			4
3				9		6		
		3						
4	7			5	3		8	1
				8	7			

★★★

225

	8			3		4	6	5
	7		4					
	9			5	8			
7						8		
	5	1				6	2	
		4						3
			8	1			9	
					2		3	
2	6	8		7			4	

★★★

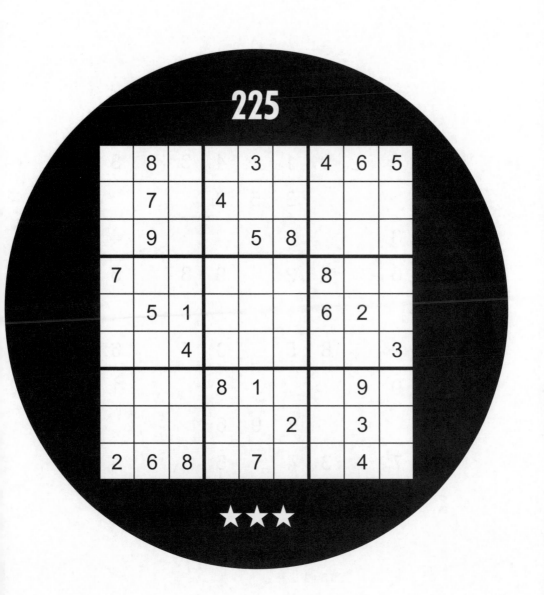

226

5		9	1		4	3		8
			3	5	8			
3								4
6		5	2		9	8		3
		7				5		
2		8	5		3	7		6
9								1
			7	9	6			
7		3	4		5	6		9

★★★

227

9				7				8
		3				1		
	8		1		3		5	
3		4	6		9	5		7
			7		5			
5		1	3		2	6		9
	4		9		1		2	
		7				4		
2				6				5

★★★

228

	4		1		9		3	
		7				1		
6			8		2			5
8		6	4		3	2		9
4		5	2		1	6		7
3			7		8			1
		9				8		
	6		9		4		5	

★★★

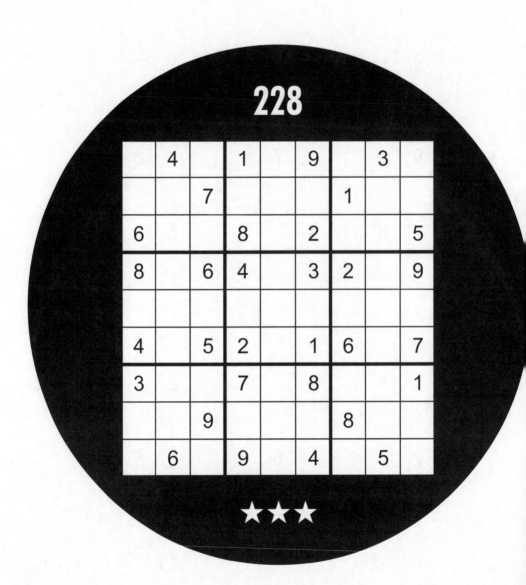

229

		6	3		1	8		
	7						3	
5			6		9			2
	1		4	8	6		5	
8								4
	6		5	9	2		1	
7			8		5			9
	9						2	
		1	9		4	3		

★★★

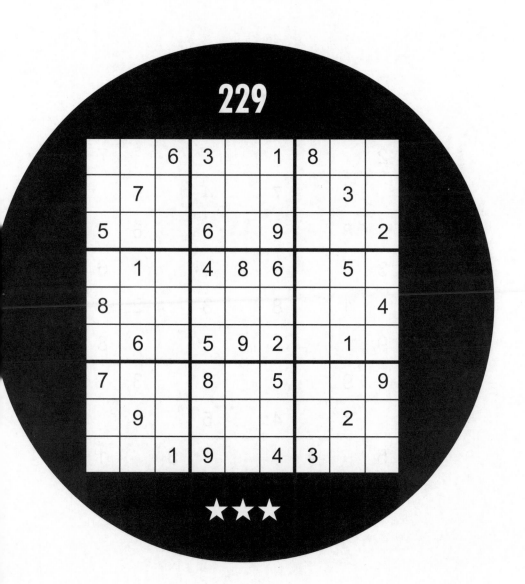

230

2		3				4		7
	6		7		4		5	
	8						6	
3				2				6
	1		8		3		2	
9				1				8
	9						3	
	7		4		5		9	
5		4				8		1

★★★

231

4	8				1	5	9		
				7					
1	2						7	5	
			7			2		8	
		2				7			
7		9		8					
6	7						5	4	
			5						
		3	6	4			9	2	

★★★

232

	2		3					
			8	5		9		1
								7
	9	2	6				3	
4				9				5
	7				2	1	9	
9								
5		1		4	9			
					8		6	

★★★

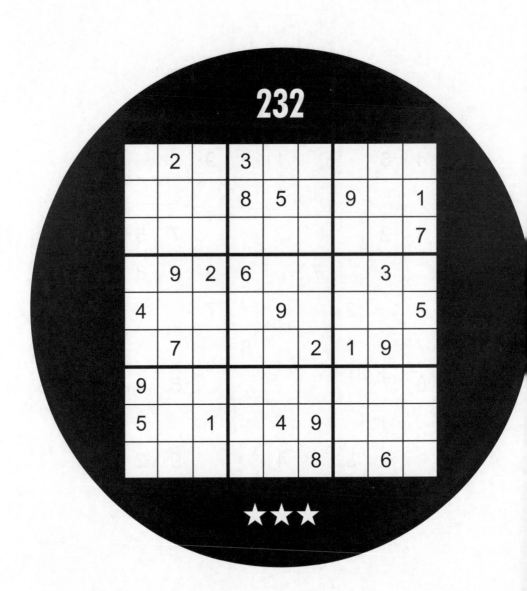

233

	3	9		6	4			
	5	8						
6					5			1
			1					8
		6		3		7		
5					2			
2			4					7
						3	5	
			3	7		6	9	

★★★

234

	3		2		8		9	
9								4
	2	1				7	8	
		6		4		2		
	8		9		5		1	
		2		7		5		
	6	3				1	5	
2								7
	7		5		2		6	

★★★

235

	3			8			4	
			5	6	1			
2	6		4		3		5	8
7								9
	4					3		
8								2
1	8		3		2		7	5
			8	7	9			
	9			1			2	

★★★

236

		1	4		9	7		
	9			3			1	
7			6		2			3
4	5						6	9
		9				8		
6	8						7	1
1			5		3			4
	3			6			9	
		2	1		8	5		

★★★

237

		3	5					
9		4		2				
			9		1		5	
	8	9			5			
		2		9		4		
			6			8	7	
	6		7		9			
				4		3		1
					3	9		

★★★

238

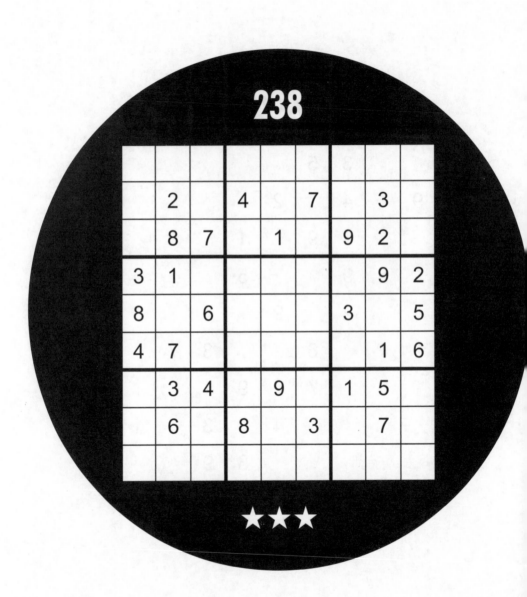

	2		4		7		3	
	8	7		1		9	2	
3	1						9	2
8		6				3		5
4	7						1	6
	3	4		9		1	5	
	6		8		3		7	

★ ★ ★

239

				3				
1	3						8	9
		2	1	9			4	5
			4			2		3
		3				8		
4		8			3			
8	2			5	7	6		
5	1						3	7
				1				

★★★

240

1	8			9			3	6
		4				5		
	5		3		7		9	
8				3				7
			5		4			
7				1				3
	9		7		6		2	
		1				7		
2	7			8			6	5

★★★

241

	7	4		9		5	2	
	3		2		1		8	
8	4						3	5
7		2				8		1
6	9						4	2
	2		3		5		6	
	6	9		4		3	1	

★★★

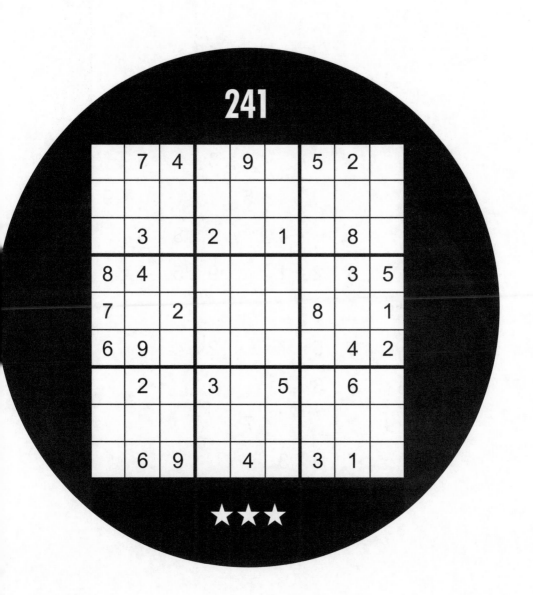

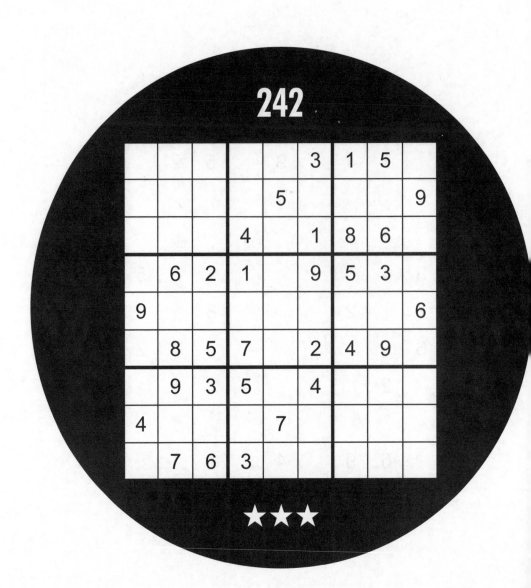

242

					3	1	5	
				5				9
		4		1	8	6		
	6	2	1		9	5	3	
9								6
	8	5	7		2	4	9	
	9	3	5		4			
4			7					
	7	6	3					

★ ★ ★

243

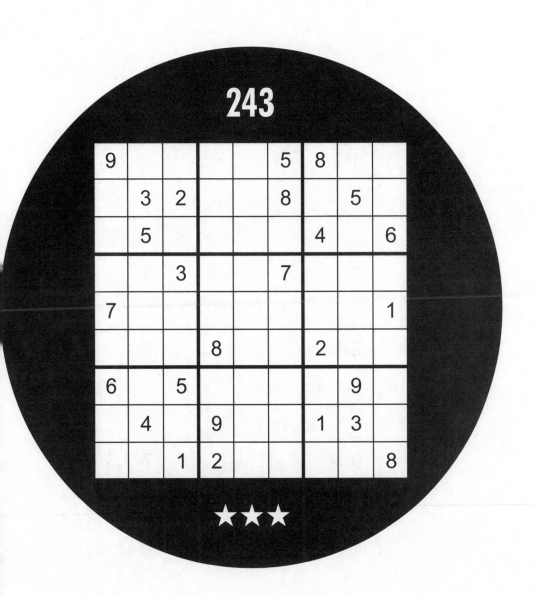

9					5	8		
	3	2			8		5	
	5					4		6
		3		7				
7								1
			8			2		
6		5					9	
	4		9			1	3	
		1	2					8

★★★

244

3	1						8	5
			9		3			
9		5				3		7
	3		5		2		1	
			8		4			
	2		7		6		9	
8		4				1		6
			4		1			
6	9						7	3

★★★

245

	7	4				9		
		6	4				7	2
8				1			3	
					5	8		6
7		5	1					
	3			2				5
5	9				6	2		
		7				4	8	

★★★

246

			9	2				
6		8	3	1		5		9
	1							
	8			9		4		
		6	7		1	8		
		4		6			7	
							4	
7		3		5	4	6		2
				7	2			

★★★

247

5					2			
		4	5	6		7		
		3				8		
				2		1	8	
	2	7	8		4	9	3	
	3	5		9				
		2				4		
		1		4	5	6		
			6					9

★★★

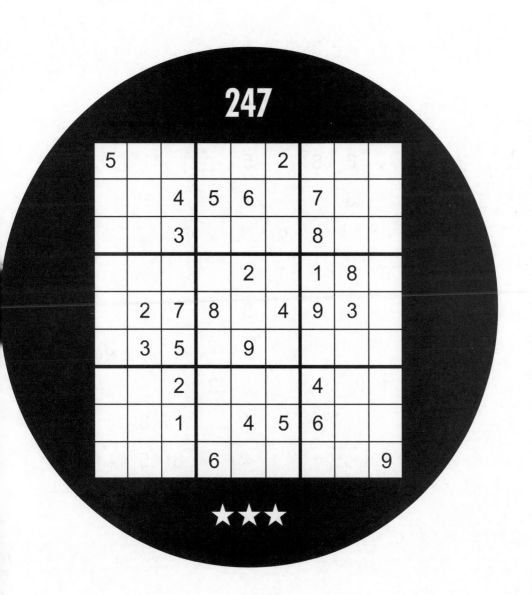

248

	6	8		5				
	3			7	6	2		
			9					7
9			1					
	5			8			4	
					7			3
1					2			
		4	5	1			8	
				4		6	5	

★★★

249

6		4		1		8		7
	9	7		2	4			
	4	6				1	9	
9	3						8	5
	5	1				7	2	
	7	9		8	5			
1		3		6		9		2

★★★

250

				6	5			3
2		6				4		
9		7			4	8		
1					2			
7	4						1	9
			4					8
		1	2			9		6
		4				1		5
5			6	4				

★★★

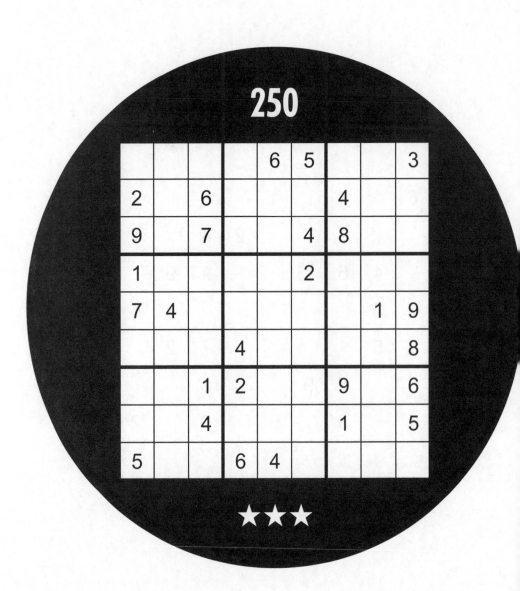

251

3							6	
1	7			5				2
					2	4		
			8		5	9		
5				7				1
		6	1		4			
		8	9					
9				1			2	3
	5							7

★★★★

252

			3		5			9
			6	1	5			
						8	1	7
			2	9	3			
	4						5	
		2	7	8				
9	7	4						
		8	1	9				
6			4		8			

★★★★

253

9					5			4
		3	7				8	
4		6			3		2	
						5		3
	2						7	
6		1						
	4		2			8		9
	3				4	7		
8			5					2

★★★★

254

2	6				7			
	5	9			1	4		
				2			9	6
4						7	1	
	9	7						2
1	4			9				
		6	8			5	4	
			3				8	1

★★★★

255

		2						4
	1		8					
8				6		5		9
	3		6		7			
2				4				6
			1		2		8	
6		4		2				5
					5		7	
9						3		

★★★★

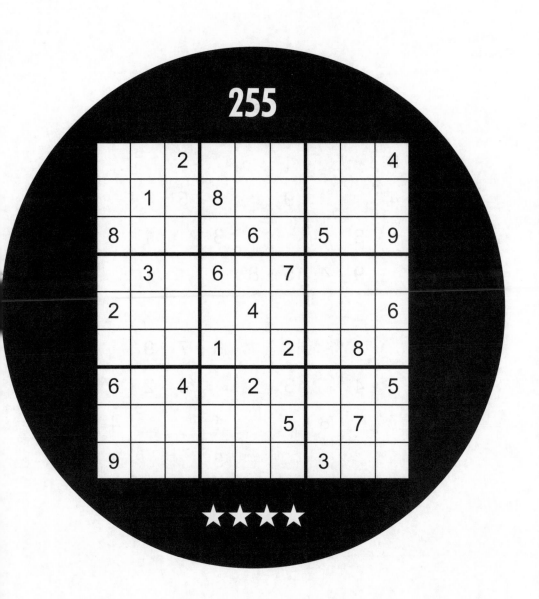

256

9			1					
4			9			5		
	8	5			3		1	
	9	4	5	8				
				1	6	7	9	
	4		3			8	2	
		6			1			4
					5			6

★★★★

257

4								
					4		1	7
			2	1				3
		8		4			5	
	4		3		1		9	
	5			6		2		
7				9	6			
3	8		7					
								9

★★★★

258

		6			8		5	9
					5	2		
2				7				4
1	8		9					
		3				4		
					2		6	1
7				4				3
		9	7					
8	2		3			7		

★★★★

259

2		7			9			3
				6		2	4	
	6	4			1			
	3					9		1
1		2					6	
		5				8	9	
	9	3		2				
4			8			3		7

★★★★

260

	1	5					7	
	8			4				9
		9	2					
3				5				6
			6		2			
7				9				1
					6	2		
9				7			8	
	4					1	5	

★★★★

261

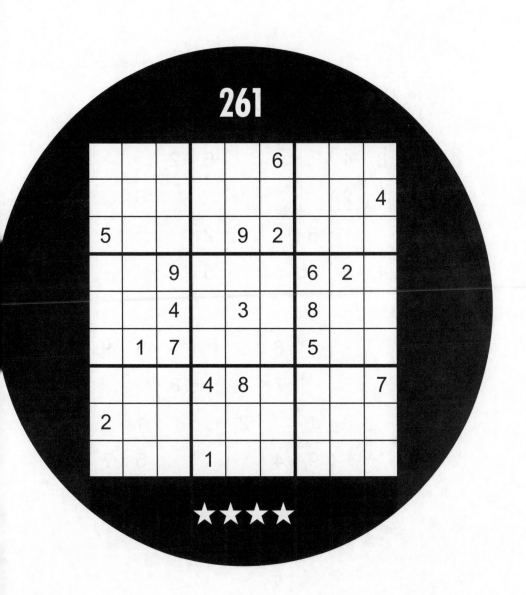

					6			
								4
5				9	2			
		9				6	2	
		4		3		8		
	1	7				5		
			4	8				7
2								
			1					

★★★★

262

8	4				6	2		
	2			1			6	
		5		2				
4	3				5			
		6				1		
			8				3	9
			7			8		
	8			2			1	
		9	4				5	7

★★★★

263

			5					8
		4		7		5		
5			4			9	6	
			8			3	9	
7								4
	1	3			6			
	2	8			9			1
		7		5		6		
6					2			

★★★★

264

	3		7	8				2
		6				8		
	7		5		2			9
			9				7	8
		9				1		
4	5				1			
3			4		8		2	
		4				7		
1				3	7		4	

★★★★

265

		2						
		9	4	1				
	6					8		
2		4						
	5			3		1		
						6		7
	9						4	
		8	5	7				
				6				

★★★★

266

8					4	6		
		4			1	2		
							1	4
		7			6		3	1
			3		2			
3	6		8			7		
4	8							
		9	1			3		
		2	5					6

★★★★

267

			3	8	5			
			6					
		7					4	
							7	1
	2			9			5	
6	8							
	3					8		
					7			
			4	2	1			

★★★★

268

	2	8		1				
					6	1	8	
4					3		7	2
		1					2	6
6	3					4		
7	4		5					8
	5	3	9					
				2		3	4	

★★★★

269

	6		5	8				
							7	
			4					
3		7						1
8				9				5
2						4		6
					3			
	5							
				1	7		2	

★★★★

270

	1		5				2	
2	4		1			9		
8					9	3		
							6	7
		8				1		
5	3							
		2	8					3
		1			3		9	6
	9				5		4	

★★★★

271

		8	2					
9	2		5			3		
7				6				8
					9		5	1
		7				4		
1	3		8					
4				7				6
		6			4		8	5
					6	9		

★★★★

272

		8		7				2
	2	5						
3		4				6		
				1			9	
6			5		2			7
	1			9				
		7				5		3
						4	1	
2			9		4			

★★★★

273

3	2	6		5		4		
	1		6					
			4				3	1
	8		3				7	6
9								4
6	4				5		1	
5	9				8			
					7		6	
		8		3		2	5	7

★★★★

274

6	8						7	
	3	4						
			3		1			2
				1		4		
7			2		8			9
		1		4				
2			7		5			
						2	8	
	9						3	6

★★★★

275

2	1					3		
5			4	3				
				9				
	9			1				2
	5		8		7		3	
8				5			7	
			6					
			8	4				6
		8					2	1

★★★★

276

1		6		7				
			3			5		1
	4		5			6	2	
6						1	8	
	8	7						9
	7	2			1		6	
9		4			8			
				9		7		4

★★★★

277

					7			
8								
				3	4			1
		1				6	9	
		2		5		8		
	4	7				3		
6			8	2				
								4
			9					

★★★★

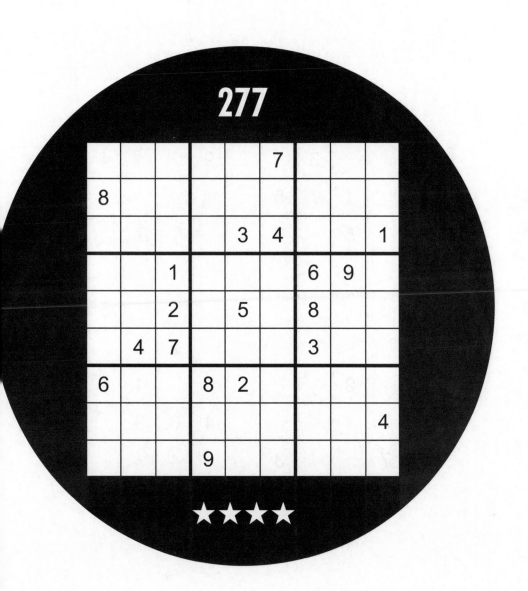

278

		3			9			4
	1	7	5					9
	5		6				7	
	4	6						
3								5
						2	8	
	9				6		1	
5				4	8	9		
7			3			4		

★★★★

279

		2	1	8				
						8		
7		6			2			
4				1			5	
3			9		6			8
	7			3				4
			3			2		9
		3						
				9	5	6		

★★★★

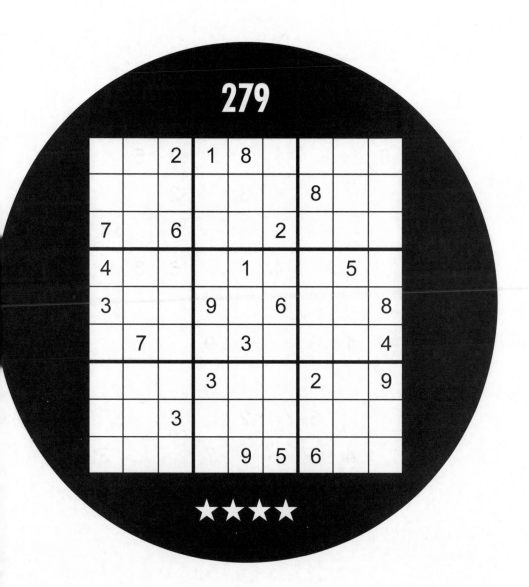

280

8			1			9	5	
		4		3		2		
			5					4
			4			6	8	
7								2
	1	6			9			
9					3			
		3		2		7		
	4	1			7			3

★★★★

281

	8	5		4			2	
					2			9
	6					7		
2			7		9			
	4			6			7	
			3		4			1
		1					8	
3			5					
	5			7		6	4	

★★★★

282

	9		5					
	3		9			2		
6		2			1			5
9		3	2	6				
			5	8	4		9
3			1			6		7
		8			5		3	
					2		8	

★★★★

283

			8	6			5	
			3					
	4							
8		3				6		
		7		1		4		
		5				9		2
							8	
					2			
	9			7	4			

★★★★

284

7		9	8					
1				9				
2	4							
	8				2	1	6	
		3	5		7	4		
	9	1	4				7	
							3	4
			6					2
				5	7		6

★★★★

285

			1					
	8					5		
			4	3	9			
						8		6
	7		2		9			
1		3						
			5	7	6			
	4						3	
				8				

★★★★

286

		1		7		6		
2		9	8				5	
	6		2					
					9	4		8
	1						3	
5		4	6					
					7		9	
	7				3	8		6
		3		1		7		

★★★★

287

					1		6	8
7		6	4					9
	8	4	3					
	2					1		5
5		8					6	
					5	9	2	
6					8	7		1
	9	1		2				

★★★★

288

8		3	6					
5			4			8		
	6			5		1	4	
		8			5	6		4
6								7
4		9	3			2		
	1	5		3			2	
		4			9			6
					2	7		5

★★★★

289

					5			
	4			2	8			
							6	
6		3				7		
		2		1		8		
		9				4		5
	8							
			6	7			9	
			3					

★★★★

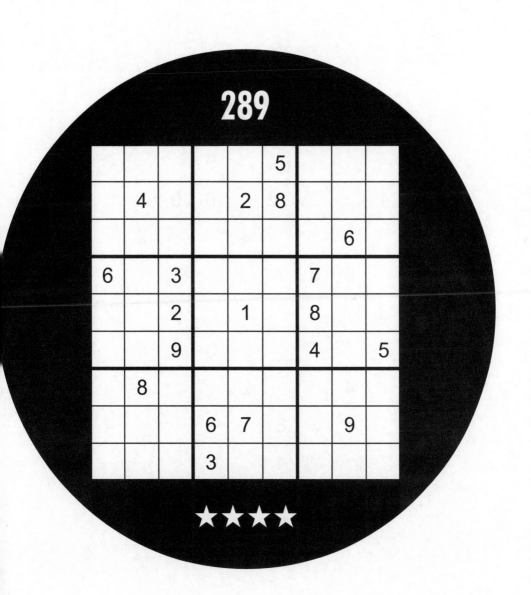

290

					9			3
1					6	9	7	
	3			4			2	
	5	6	7					
8								2
					3	1	5	
	4			2			8	
	6	3	8					4
7			4					

★★★★

291

		6			2	4		8
			6				3	
8			3				9	
			8	4		3		9
1		3		6	5			
	9				6			5
	5				8			
4		7	2			9		

★★★★

292

		9			8			
5		6						3
4				2			7	
	6			7			2	
			8		9			
	8			5			1	
	7			3				4
2						5		6
		9			7			

★★★★

293

			6	3				1
3								
					1		7	8
	2			5		7		
	3		4		8		5	
		9		6			2	
1	4		5					
								5
8				4	9			

★ ★ ★ ★

294

	2				1		7	
	7	5			3			6
		3	4					9
	5	8						
6								4
						1	3	
3					7	4		
7			6			9	2	
	9		1				6	

★★★★

295

		7	3					9
	2				5			
1			7			3		
9			5					8
		6	8		4	1		
3					1			7
		5			3			1
			1				2	
6					7	4		

★★★★★

296

1		4					5	
			2		6	9		
			3					
	2							
7				4				8
							3	
				8				
		3	7		5			
	6					2		1

★ ★ ★ ★ ★

297

8					7	1		
	3	1					4	
			1		6		2	
							5	
	6		2	7	9		1	
	9							
	2		3		4			
	1					8	6	
		5	6					4

★★★★★

298

		5						
	1			8				4
9			3		6		8	
		4	9	7			1	3
1	3			2	4	9		
	6		1		2			9
3				9			7	
						5		

★★★★★

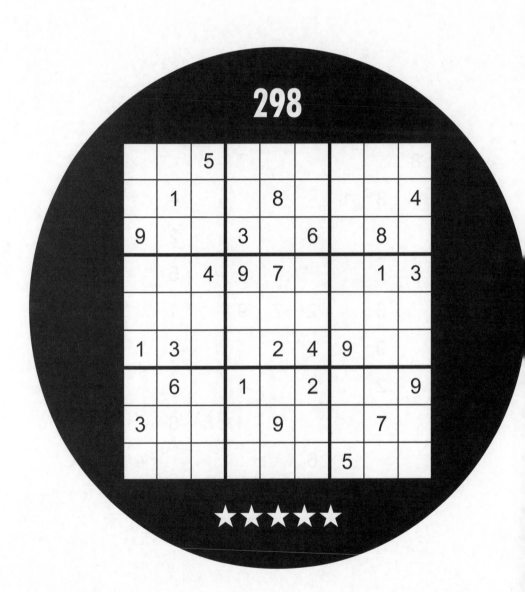

299

	4						7	
	3		4				5	8
		5			6			9
5				2	7			
	8						1	
			9	1				3
1			8			2		
7	6				3		9	
	9						6	

★★★★★

300

	9				5			7
							6	
		2	8		3			
1								4
	7			9			5	
6								3
			4		2	9		
	5							
3			1				8	

★ ★ ★ ★ ★

301

			2				1	
	3							4
	9			7				
2								7
		4		3		5		
1								6
				5			9	
8							2	
	6				4			

★★★★★

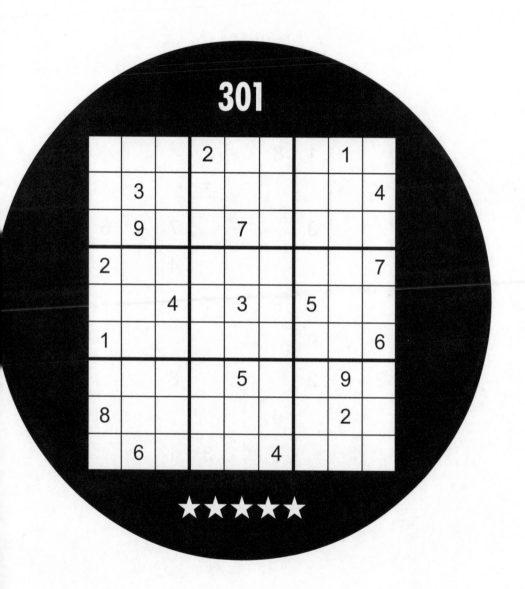

302

		1	8		2			
4					7		8	
		3				7		6
						4		
	7	9	5	1	3			
	9							
3	2				8			
	6		5					3
		7		3	1			

★★★★★

303

				1		7	9	
3					8			
						5		
			1		4			8
		6		9		1		
5			3		6			
		9						
			2					4
	7	1		6				

★★★★★

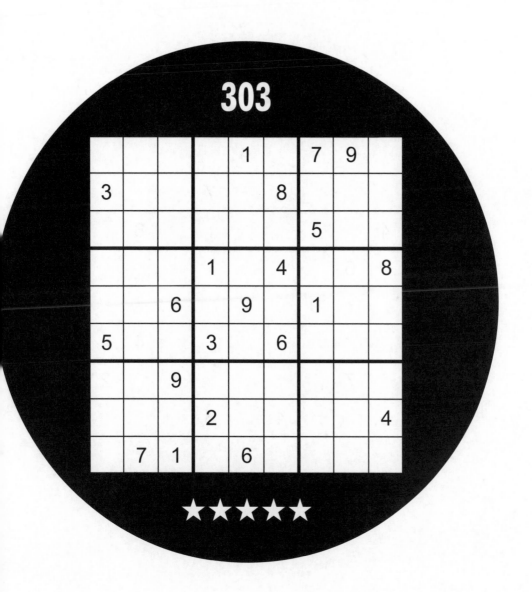

304

				9				
			3		7			6
4		1					8	
	6							
	9		2		3			
							4	
	7					1		2
5			4		8			
			6					

★ ★ ★ ★ ★

305

		1	7		3			9
6				9		2		
							5	
7		6		3	8		9	
	8		9	2		7		6
	5							
		7		4				8
9			6		1	4		

★★★★★

306

	7			1				
3	6		8					
	8	9			5			
			3	7		2		9
		5				4		
2		1		6	4			
			9			6	2	
					2		8	4
				8			7	

★★★★★

307

						1	4	
9	1							2
		7	9		2			
			5	3			2	
1		5				6		4
	6			2	1			
			7		8	4		
8							5	6
	5	4						

★★★★★

308

	9			3		6		
								4
		1	5		2			
5		3						8
				4				
6						7		2
			9		7	5		
8								
		4		1			3	

★★★★★

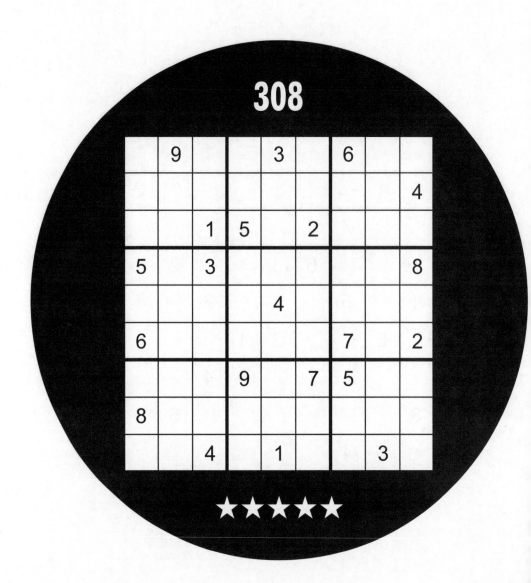

309

4								
5	2	8		3				
					1		2	
			2				6	
3				4				5
	9				7			
	7		6					
				5		4	7	8
								9

★★★★★

310

3								
			6	9		1		
7	8			4				
					1	9		
4		8		3		6		7
	5	2						
			7				3	8
	2		5	9				
								5

★★★★★

311

							8	
		9		2				1
4			3		7			
3	6						5	
				1				
	8						4	9
			6		4			2
5				9		7		
	1							

★★★★★

312

		8						
1		4		6				
			3	9			7	
					5		9	
	1	6		8		2	3	
	3		7					
	5			4	1			
				2		6		8
						4		

★★★★★

313

				1		7	5	3
		7	8					
								9
			4			2		
3				9				1
		6			7			
2								
					6	4		
5	9	4		3				

★★★★★

314

		8					3
	7			6		1	
5				7	6		
4				8		5	
	1	2		4	9		
6		1				7	
	2	6				9	
1		7			8		
3					1		

★★★★★

315

3						4		
		6			5			
				1		7		
4								9
	5			8			1	
2								6
		7		9				
			4			2		
		8						5

★★★★★

316

6		2			8			
						3		
	8		1			5	2	
7			9					
	4		3			1		
				6				8
3	1		4			2		
	5							
			2			8		9

★ ★ ★ ★ ★

317

		6	5	9				1
	2					7		
	4		2					
					3			
		1				5		
			4					
				8			3	
		9					2	
6				7	1	8		

★★★★★

318

4			2				3	
			7		1	5		
	9							
8								6
	2			3			4	
7								9
							2	
	3	5		8				
	1				6			7

★★★★★

319

5							8	
				2			1	
	9		4					
6								9
		4		7		2		
8								3
					8		6	
	1			3				
	7							4

★★★★★

320

								6
				8			4	5
		9		2	3			
		2	7					
1		3		6		4		8
					9	3		
			4	5		7		
8	6			1				
5								

★★★★★

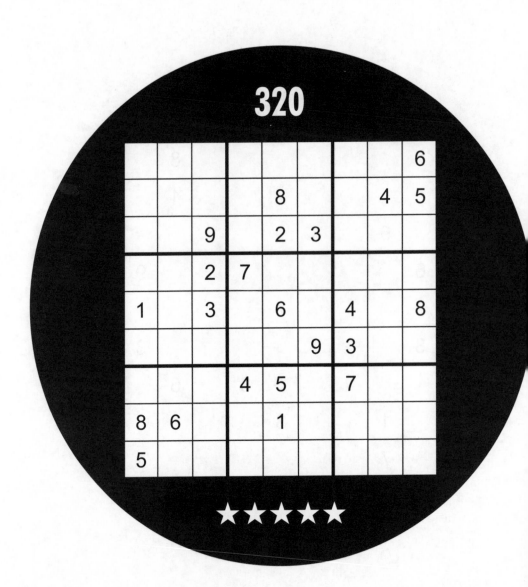

321

4								
2	9			6				
			1			3		
		7	8		6			
6				4				2
			2		3	5		
		8			5			
				2			4	9
								7

★★★★★

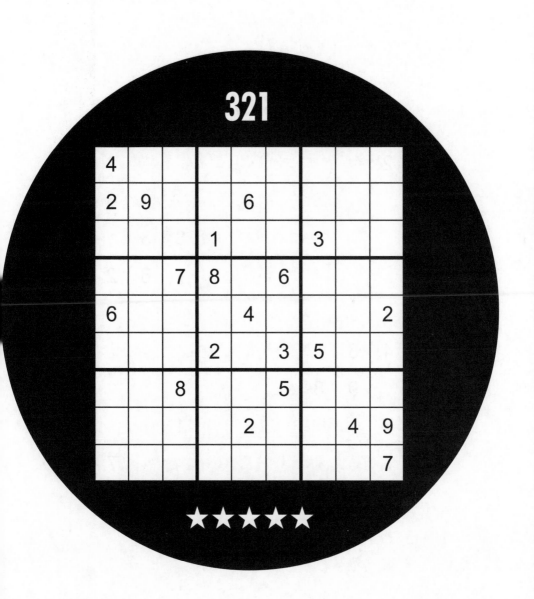

322

2								
		5		4				6
						8	3	
			3				6	2
1								5
4	8				9			
	9	8						
7				2		1		
								7

★★★★★

323

				2		8	4	
7			5	6				2
						6		
			7					3
		8		4		2		
9					1			
		4						
8				3	9			1
	5	6		8				

★★★★★

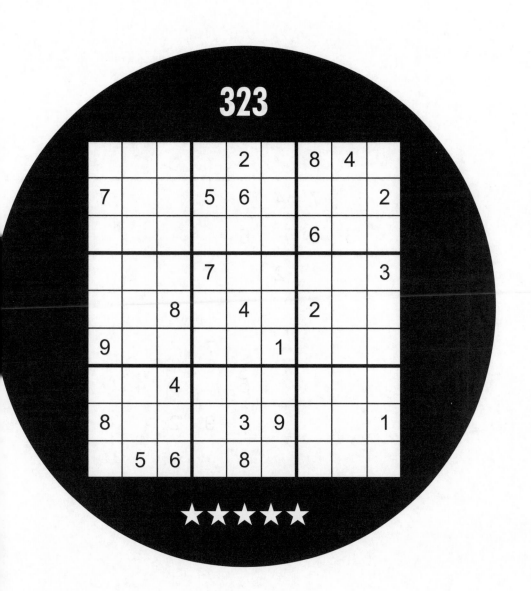

324

		8						
		7	4					2
	3	5		6				
1			2					
		6		3		5		
					7			9
				5		8	4	
7					9	2		
						3		

★★★★★

1

1	9	8	5	3	7	6	2	4
5	3	6	8	4	2	9	1	7
4	2	7	1	6	9	5	3	8
8	1	4	7	2	5	3	6	9
6	7	2	3	9	4	1	8	5
9	5	3	6	1	8	7	4	2
7	4	1	2	5	6	8	9	3
2	6	5	9	8	3	4	7	1
3	8	9	4	7	1	2	5	6

2

2	1	7	3	9	6	8	4	5
8	3	9	5	4	7	2	6	1
5	6	4	2	8	1	3	7	9
6	8	3	4	1	2	9	5	7
4	7	5	8	6	9	1	2	3
9	2	1	7	3	5	4	8	6
7	9	2	1	5	8	6	3	4
1	4	8	6	7	3	5	9	2
3	5	6	9	2	4	7	1	8

3

1	6	4	9	2	3	8	5	7
5	2	9	7	8	6	4	1	3
7	8	3	4	5	1	9	2	6
2	9	1	3	4	5	6	7	8
4	3	5	8	6	7	1	9	2
8	7	6	2	1	9	5	3	4
6	1	2	5	7	8	3	4	9
9	5	7	6	3	4	2	8	1
3	4	8	1	9	2	7	6	5

4

1	6	4	7	9	8	2	5	3
9	3	8	6	2	5	1	4	7
5	7	2	1	4	3	8	9	6
7	4	9	5	1	6	3	8	2
8	2	1	4	3	7	9	6	5
6	5	3	2	8	9	4	7	1
4	8	6	3	5	1	7	2	9
3	9	7	8	6	2	5	1	4
2	1	5	9	7	4	6	3	8

5

1	3	5	4	6	9	2	7	8
4	8	9	3	7	2	5	1	6
7	6	2	5	1	8	4	3	9
6	9	7	2	5	4	1	8	3
2	4	8	1	9	3	7	6	5
3	5	1	6	8	7	9	2	4
8	1	3	9	2	5	6	4	7
5	7	6	8	4	1	3	9	2
9	2	4	7	3	6	8	5	1

6

2	5	3	1	8	7	4	9	6
6	1	7	4	9	2	8	3	5
8	9	4	6	3	5	7	2	1
1	8	6	7	5	9	3	4	2
7	3	5	2	4	6	1	8	9
4	2	9	3	1	8	5	6	7
5	6	1	8	2	3	9	7	4
3	4	2	9	7	1	6	5	8
9	7	8	5	6	4	2	1	3

7

5	1	8	7	9	6	2	4	3
7	6	4	8	3	2	9	1	5
9	3	2	4	5	1	7	6	8
4	9	6	1	7	5	3	8	2
1	7	5	2	8	3	6	9	4
2	8	3	9	6	4	5	7	1
8	2	9	5	1	7	4	3	6
3	5	7	6	4	8	1	2	9
6	4	1	3	2	9	8	5	7

8

9	5	1	4	8	3	6	7	2
2	3	7	6	9	1	5	4	8
8	6	4	7	2	5	1	3	9
6	2	9	5	7	4	8	1	3
1	7	5	3	6	8	2	9	4
4	8	3	9	1	2	7	5	6
7	4	6	2	5	9	3	8	1
5	9	8	1	3	6	4	2	7
3	1	2	8	4	7	9	6	5

9

3	8	4	9	1	2	7	6	5
7	1	9	6	4	5	2	3	8
2	5	6	8	3	7	1	4	9
4	9	2	5	7	8	6	1	3
6	7	1	2	9	3	8	5	4
5	3	8	4	6	1	9	2	7
8	6	7	3	2	4	5	9	1
1	2	3	7	5	9	4	8	6
9	4	5	1	8	6	3	7	2

10

9	1	6	3	2	8	7	5	4
7	5	4	6	9	1	8	2	3
2	8	3	7	4	5	9	6	1
1	7	5	2	6	9	3	4	8
4	9	8	5	7	3	6	1	2
3	6	2	1	8	4	5	7	9
8	2	7	4	3	6	1	9	5
5	4	9	8	1	7	2	3	6
6	3	1	9	5	2	4	8	7

11

1	2	3	8	9	6	7	4	5
9	5	6	4	2	7	3	1	8
8	7	4	3	1	5	6	9	2
6	4	7	2	5	9	1	8	3
2	3	9	1	7	8	5	6	4
5	8	1	6	3	4	9	2	7
4	9	2	7	6	3	8	5	1
3	1	5	9	8	2	4	7	6
7	6	8	5	4	1	2	3	9

12

2	6	7	4	5	1	8	3	9
3	4	5	9	2	8	6	1	7
9	8	1	6	3	7	2	4	5
4	3	2	1	6	5	9	7	8
6	5	8	7	9	4	1	2	3
1	7	9	2	8	3	4	5	6
8	2	4	5	7	6	3	9	1
5	9	6	3	1	2	7	8	4
7	1	3	8	4	9	5	6	2

13

2	8	4	6	9	5	3	7	1
1	5	6	3	4	7	8	2	9
7	9	3	8	1	2	5	4	6
3	2	5	4	7	1	6	9	8
8	4	7	9	6	3	2	1	5
9	6	1	5	2	8	7	3	4
6	1	2	7	5	4	9	8	3
4	3	9	2	8	6	1	5	7
5	7	8	1	3	9	4	6	2

14

7	2	5	9	8	4	6	3	1
8	4	9	6	1	3	2	7	5
3	1	6	5	7	2	8	9	4
4	8	2	1	9	5	3	6	7
1	9	7	4	3	6	5	2	8
5	6	3	7	2	8	1	4	9
6	7	1	3	5	9	4	8	2
9	3	8	2	4	1	7	5	6
2	5	4	8	6	7	9	1	3

15

7	6	4	2	9	3	8	5	1
3	8	5	7	1	4	6	9	2
2	9	1	5	8	6	7	4	3
1	2	3	6	5	8	9	7	4
4	7	6	9	3	1	5	2	8
8	5	9	4	7	2	3	1	6
9	3	8	1	4	7	2	6	5
5	1	2	8	6	9	4	3	7
6	4	7	3	2	5	1	8	9

16

6	8	4	3	1	5	2	7	9
3	7	1	6	2	9	4	5	8
9	5	2	4	7	8	3	1	6
8	2	3	9	5	4	1	6	7
7	4	9	8	6	1	5	2	3
5	1	6	2	3	7	9	8	4
4	6	7	5	9	2	8	3	1
2	3	8	1	4	6	7	9	5
1	9	5	7	8	3	6	4	2

17

1	8	5	7	9	6	3	2	4
7	9	2	4	3	1	6	8	5
3	6	4	2	5	8	7	9	1
2	5	7	3	6	9	1	4	8
4	1	6	8	7	5	9	3	2
9	3	8	1	4	2	5	7	6
5	4	9	6	8	3	2	1	7
8	2	3	5	1	7	4	6	9
6	7	1	9	2	4	8	5	3

18

8	9	4	6	1	3	2	5	7
5	2	1	4	9	7	3	8	6
7	3	6	5	8	2	9	1	4
1	5	9	8	6	4	7	3	2
3	6	7	1	2	5	4	9	8
2	4	8	3	7	9	5	6	1
9	8	2	7	3	1	6	4	5
4	1	3	2	5	6	8	7	9
6	7	5	9	4	8	1	2	3

19

3	8	4	2	9	5	6	7	1
6	5	2	3	1	7	9	8	4
7	9	1	6	4	8	3	5	2
9	1	3	5	8	4	7	2	6
4	7	6	9	2	1	8	3	5
8	2	5	7	3	6	1	4	9
1	6	7	8	5	2	4	9	3
2	4	9	1	7	3	5	6	8
5	3	8	4	6	9	2	1	7

20

6	4	1	5	7	8	2	9	3
3	8	5	9	4	2	7	6	1
2	7	9	1	6	3	5	8	4
8	3	6	2	1	4	9	7	5
9	2	4	7	8	5	3	1	6
1	5	7	3	9	6	8	4	2
5	9	8	4	3	1	6	2	7
7	1	2	6	5	9	4	3	8
4	6	3	8	2	7	1	5	9

21

7	4	5	6	2	9	1	8	3
8	6	1	4	7	3	9	2	5
9	3	2	5	8	1	7	4	6
3	7	4	8	9	5	2	6	1
2	9	8	1	6	7	3	5	4
5	1	6	2	3	4	8	7	9
1	8	3	7	4	6	5	9	2
4	2	9	3	5	8	6	1	7
6	5	7	9	1	2	4	3	8

22

2	6	9	7	3	5	1	8	4
4	7	8	6	2	1	9	5	3
3	1	5	4	9	8	2	6	7
1	3	7	5	6	2	4	9	8
8	9	4	3	1	7	6	2	5
5	2	6	9	8	4	7	3	1
7	5	3	2	4	9	8	1	6
6	8	2	1	7	3	5	4	9
9	4	1	8	5	6	3	7	2

23

9	7	8	3	6	2	5	4	1
1	3	4	8	7	5	9	6	2
2	6	5	1	9	4	3	8	7
7	2	3	6	8	1	4	9	5
4	9	6	5	2	3	1	7	8
8	5	1	9	4	7	2	3	6
3	4	7	2	5	8	6	1	9
6	1	2	7	3	9	8	5	4
5	8	9	4	1	6	7	2	3

24

4	2	7	1	9	6	5	8	3
3	8	6	7	2	5	9	4	1
5	1	9	4	8	3	2	6	7
8	3	5	9	7	1	4	2	6
1	6	4	8	5	2	3	7	9
9	7	2	3	6	4	8	1	5
6	9	8	2	3	7	1	5	4
2	5	1	6	4	9	7	3	8
7	4	3	5	1	8	6	9	2

25

8	2	6	7	5	1	4	3	9
4	5	1	3	9	8	6	7	2
7	3	9	4	2	6	5	8	1
6	7	5	2	1	4	3	9	8
3	4	8	6	7	9	2	1	5
1	9	2	5	8	3	7	6	4
5	1	4	9	3	7	8	2	6
9	6	7	8	4	2	1	5	3
2	8	3	1	6	5	9	4	7

26

4	7	1	9	5	2	6	3	8
8	9	5	6	7	3	2	1	4
6	2	3	1	8	4	9	5	7
3	6	8	5	2	7	4	9	1
1	4	2	3	9	8	5	7	6
9	5	7	4	6	1	8	2	3
5	1	6	7	4	9	3	8	2
2	3	4	8	1	5	7	6	9
7	8	9	2	3	6	1	4	5

27

7	1	2	8	6	3	4	9	5
9	5	6	7	4	2	8	3	1
3	4	8	1	9	5	6	7	2
6	2	7	4	1	9	3	5	8
1	8	3	6	5	7	2	4	9
4	9	5	3	2	8	7	1	6
5	6	4	2	7	1	9	8	3
8	7	1	9	3	6	5	2	4
2	3	9	5	8	4	1	6	7

28

6	4	8	2	1	5	9	3	7
1	3	7	8	6	9	5	2	4
5	9	2	4	7	3	6	1	8
7	8	9	6	2	1	3	4	5
4	2	6	3	5	7	1	8	9
3	5	1	9	8	4	7	6	2
8	7	4	5	3	6	2	9	1
9	6	5	1	4	2	8	7	3
2	1	3	7	9	8	4	5	6

29

9	4	6	7	3	1	2	5	8
5	7	1	6	8	2	3	9	4
8	3	2	5	9	4	6	1	7
4	8	9	2	1	7	5	6	3
1	5	7	3	6	8	9	4	2
2	6	3	9	4	5	7	8	1
6	9	8	1	7	3	4	2	5
7	1	5	4	2	6	8	3	9
3	2	4	8	5	9	1	7	6

30

2	6	8	3	5	9	1	7	4
5	4	9	1	6	7	8	2	3
1	3	7	2	8	4	9	6	5
7	8	2	6	1	3	5	4	9
6	9	4	8	7	5	3	1	2
3	5	1	4	9	2	6	8	7
8	7	3	5	4	1	2	9	6
4	1	5	9	2	6	7	3	8
9	2	6	7	3	8	4	5	1

31

8	6	3	1	4	7	2	9	5
2	4	1	9	5	8	7	3	6
7	9	5	2	3	6	8	4	1
4	2	9	7	6	1	3	5	8
1	5	7	8	2	3	4	6	9
6	3	8	5	9	4	1	2	7
5	8	4	6	1	2	9	7	3
9	7	2	3	8	5	6	1	4
3	1	6	4	7	9	5	8	2

32

5	6	2	3	7	9	1	8	4
9	8	7	1	4	2	3	6	5
4	1	3	8	6	5	2	9	7
3	9	1	2	5	8	7	4	6
7	4	8	6	9	3	5	1	2
2	5	6	4	1	7	8	3	9
6	7	9	5	3	1	4	2	8
1	2	4	7	8	6	9	5	3
8	3	5	9	2	4	6	7	1

33

4	9	8	3	1	5	7	2	6
3	2	5	6	7	9	8	1	4
1	7	6	4	8	2	9	5	3
9	8	2	5	4	1	3	6	7
7	6	1	9	2	3	4	8	5
5	4	3	8	6	7	2	9	1
6	1	7	2	3	8	5	4	9
8	3	9	1	5	4	6	7	2
2	5	4	7	9	6	1	3	8

34

9	5	3	2	1	8	6	4	7
8	1	7	4	6	3	5	2	9
6	2	4	7	9	5	8	1	3
4	7	6	1	3	2	9	8	5
2	8	1	5	7	9	3	6	4
5	3	9	6	8	4	2	7	1
1	4	5	3	2	6	7	9	8
7	9	2	8	5	1	4	3	6
3	6	8	9	4	7	1	5	2

35

1	4	7	8	2	6	3	9	5
2	3	9	7	4	5	1	6	8
5	6	8	9	3	1	4	2	7
9	7	3	6	5	4	8	1	2
6	8	2	3	1	7	5	4	9
4	1	5	2	9	8	6	7	3
8	9	4	5	6	2	7	3	1
7	2	6	1	8	3	9	5	4
3	5	1	4	7	9	2	8	6

36

9	8	5	2	3	4	6	7	1
1	2	3	7	5	6	4	8	9
6	7	4	1	8	9	5	3	2
7	9	6	8	2	5	3	1	4
2	4	8	6	1	3	7	9	5
5	3	1	9	4	7	8	2	6
4	5	9	3	7	1	2	6	8
3	6	2	4	9	8	1	5	7
8	1	7	5	6	2	9	4	3

37

9	7	4	1	8	3	5	2	6
6	3	8	2	5	7	4	9	1
2	1	5	9	6	4	7	3	8
7	5	1	8	3	2	9	6	4
4	6	9	7	1	5	2	8	3
3	8	2	4	9	6	1	5	7
5	2	7	6	4	8	3	1	9
1	4	6	3	2	9	8	7	5
8	9	3	5	7	1	6	4	2

38

5	4	2	9	7	1	8	6	3
1	8	7	3	6	2	9	5	4
3	9	6	4	8	5	2	7	1
7	2	9	5	1	3	4	8	6
6	1	8	2	4	7	5	3	9
4	5	3	6	9	8	1	2	7
9	7	1	8	2	6	3	4	5
2	3	4	7	5	9	6	1	8
8	6	5	1	3	4	7	9	2

39

1	8	5	3	7	4	9	2	6
9	6	7	2	1	5	4	3	8
3	2	4	8	6	9	5	7	1
4	5	3	6	9	1	7	8	2
7	9	6	4	2	8	3	1	5
2	1	8	7	5	3	6	9	4
8	4	1	5	3	7	2	6	9
6	7	9	1	4	2	8	5	3
5	3	2	9	8	6	1	4	7

40

9	1	4	6	2	3	7	5	8
3	6	5	7	1	8	9	2	4
8	7	2	9	4	5	1	3	6
1	5	6	2	9	7	8	4	3
4	9	8	3	5	6	2	7	1
2	3	7	1	8	4	6	9	5
6	2	9	5	3	1	4	8	7
5	4	1	8	7	2	3	6	9
7	8	3	4	6	9	5	1	2

41

9	1	6	3	2	7	4	5	8
4	8	2	6	5	1	3	9	7
3	7	5	4	9	8	1	6	2
1	5	8	9	7	4	2	3	6
7	4	3	1	6	2	5	8	9
2	6	9	5	8	3	7	4	1
6	2	4	8	1	5	9	7	3
8	3	7	2	4	9	6	1	5
5	9	1	7	3	6	8	2	4

42

5	9	1	6	7	3	4	8	2
4	7	6	2	9	8	3	5	1
3	2	8	1	5	4	7	6	9
1	4	3	9	2	5	8	7	6
6	8	9	4	1	7	2	3	5
2	5	7	8	3	6	9	1	4
7	3	4	5	6	2	1	9	8
9	6	2	3	8	1	5	4	7
8	1	5	7	4	9	6	2	3

43

9	6	2	3	7	4	5	1	8
5	7	4	8	1	6	3	2	9
8	1	3	2	5	9	6	4	7
4	3	9	7	2	5	8	6	1
2	5	1	6	8	3	9	7	4
7	8	6	9	4	1	2	5	3
6	2	7	4	3	8	1	9	5
3	4	5	1	9	2	7	8	6
1	9	8	5	6	7	4	3	2

44

1	4	2	9	5	6	8	3	7
7	6	8	1	3	4	5	9	2
5	3	9	2	8	7	4	1	6
6	7	3	8	9	2	1	5	4
8	2	1	5	4	3	6	7	9
9	5	4	6	7	1	2	8	3
2	9	6	7	1	8	3	4	5
3	1	5	4	6	9	7	2	8
4	8	7	3	2	5	9	6	1

45

5	7	8	6	9	1	3	2	4
3	6	9	8	4	2	1	5	7
1	2	4	7	3	5	8	6	9
8	9	1	2	6	7	5	4	3
6	4	3	9	5	8	7	1	2
7	5	2	3	1	4	6	9	8
9	1	6	4	8	3	2	7	5
2	8	5	1	7	9	4	3	6
4	3	7	5	2	6	9	8	1

46

4	8	3	6	2	5	1	9	7
1	6	2	4	7	9	8	3	5
9	5	7	8	3	1	4	6	2
8	3	6	9	4	2	7	5	1
7	1	4	3	5	6	2	8	9
5	2	9	1	8	7	3	4	6
6	4	1	2	9	8	5	7	3
3	9	5	7	1	4	6	2	8
2	7	8	5	6	3	9	1	4

47

7	3	2	9	4	5	6	8	1
9	8	1	7	2	6	4	5	3
5	6	4	1	8	3	7	2	9
4	5	6	8	3	2	1	9	7
8	7	3	6	9	1	2	4	5
2	1	9	4	5	7	8	3	6
3	9	7	2	1	4	5	6	8
1	4	5	3	6	8	9	7	2
6	2	8	5	7	9	3	1	4

48

8	1	4	7	5	6	2	3	9
5	2	9	3	1	4	6	8	7
7	3	6	2	8	9	5	4	1
6	4	5	1	9	3	7	2	8
2	9	8	6	7	5	3	1	4
3	7	1	8	4	2	9	6	5
4	5	2	9	6	1	8	7	3
9	6	7	4	3	8	1	5	2
1	8	3	5	2	7	4	9	6

49

4	1	8	7	5	2	6	9	3
7	5	6	9	4	3	2	8	1
9	2	3	8	1	6	5	4	7
6	8	4	5	3	9	7	1	2
5	7	2	4	6	1	9	3	8
1	3	9	2	8	7	4	5	6
8	6	7	1	9	5	3	2	4
2	9	1	3	7	4	8	6	5
3	4	5	6	2	8	1	7	9

50

5	1	3	4	7	9	2	8	6
2	7	8	3	6	5	9	1	4
9	4	6	8	2	1	5	3	7
8	9	7	5	1	2	4	6	3
3	5	1	6	9	4	8	7	2
4	6	2	7	3	8	1	9	5
6	8	5	9	4	3	7	2	1
1	3	4	2	8	7	6	5	9
7	2	9	1	5	6	3	4	8

51

4	2	9	6	8	1	3	5	7
5	3	6	7	9	2	1	8	4
8	7	1	5	4	3	9	6	2
3	5	4	1	6	9	7	2	8
1	6	8	2	7	4	5	9	3
2	9	7	3	5	8	6	4	1
9	1	2	4	3	5	8	7	6
6	8	3	9	2	7	4	1	5
7	4	5	8	1	6	2	3	9

52

4	8	9	1	2	6	7	3	5
3	2	1	4	5	7	6	8	9
5	6	7	9	8	3	4	1	2
2	4	3	8	1	9	5	6	7
1	7	8	5	6	2	9	4	3
9	5	6	7	3	4	8	2	1
8	3	2	6	9	5	1	7	4
6	9	4	2	7	1	3	5	8
7	1	5	3	4	8	2	9	6

53

5	1	8	9	6	3	7	2	4
4	9	2	8	5	7	1	3	6
6	3	7	2	4	1	9	8	5
7	5	3	1	2	8	4	6	9
8	4	6	7	9	5	2	1	3
9	2	1	6	3	4	5	7	8
3	7	5	4	1	6	8	9	2
1	6	9	5	8	2	3	4	7
2	8	4	3	7	9	6	5	1

54

2	8	7	5	9	1	4	6	3
3	4	5	7	8	6	2	9	1
1	6	9	4	3	2	8	7	5
8	3	1	6	7	5	9	2	4
6	7	2	1	4	9	3	5	8
9	5	4	8	2	3	6	1	7
4	2	6	3	5	7	1	8	9
5	1	8	9	6	4	7	3	2
7	9	3	2	1	8	5	4	6

55

1	6	3	5	2	4	9	8	7
8	4	9	6	3	7	2	1	5
2	5	7	8	9	1	4	3	6
9	1	6	4	8	3	5	7	2
5	3	8	7	6	2	1	9	4
7	2	4	9	1	5	8	6	3
6	8	5	3	4	9	7	2	1
3	7	2	1	5	8	6	4	9
4	9	1	2	7	6	3	5	8

56

1	9	6	3	4	2	8	5	7
7	4	5	6	8	9	2	1	3
2	3	8	5	1	7	4	6	9
8	2	4	9	6	3	1	7	5
5	1	9	7	2	4	3	8	6
3	6	7	8	5	1	9	4	2
4	7	1	2	9	6	5	3	8
6	8	2	1	3	5	7	9	4
9	5	3	4	7	8	6	2	1

57

9	2	8	7	1	5	3	4	6
1	7	4	6	3	2	5	8	9
6	5	3	9	4	8	1	7	2
4	9	2	3	8	6	7	1	5
8	3	6	1	5	7	2	9	4
5	1	7	2	9	4	6	3	8
2	6	9	4	7	1	8	5	3
7	4	5	8	6	3	9	2	1
3	8	1	5	2	9	4	6	7

58

5	8	4	3	7	6	1	2	9
2	3	7	1	9	4	6	8	5
6	1	9	2	5	8	7	4	3
3	4	5	8	6	2	9	7	1
1	7	8	5	4	9	2	3	6
9	6	2	7	1	3	4	5	8
4	2	3	9	8	1	5	6	7
8	5	1	6	2	7	3	9	4
7	9	6	4	3	5	8	1	2

59

4	2	8	6	1	3	5	9	7
6	1	5	9	4	7	3	8	2
9	3	7	8	2	5	1	4	6
2	7	9	3	8	6	4	1	5
1	6	3	4	5	2	9	7	8
5	8	4	1	7	9	6	2	3
8	5	6	2	9	1	7	3	4
3	9	2	7	6	4	8	5	1
7	4	1	5	3	8	2	6	9

60

9	7	5	4	8	2	3	1	6
8	1	6	7	9	3	2	4	5
2	3	4	6	1	5	9	7	8
4	8	2	1	3	7	6	5	9
7	9	3	8	5	6	1	2	4
6	5	1	9	2	4	8	3	7
3	4	9	5	6	1	7	8	2
5	2	8	3	7	9	4	6	1
1	6	7	2	4	8	5	9	3

61

6	3	7	9	8	1	2	5	4
2	5	1	4	6	3	9	7	8
9	8	4	5	7	2	1	3	6
7	1	2	6	9	5	4	8	3
8	9	5	1	3	4	6	2	7
4	6	3	7	2	8	5	9	1
5	7	6	3	1	9	8	4	2
3	4	8	2	5	6	7	1	9
1	2	9	8	4	7	3	6	5

62

8	6	5	4	9	2	3	1	7
3	2	4	5	7	1	8	6	9
9	1	7	3	6	8	2	5	4
7	3	8	1	5	6	4	9	2
2	4	6	8	3	9	5	7	1
1	5	9	2	4	7	6	3	8
4	9	1	6	8	3	7	2	5
6	8	2	7	1	5	9	4	3
5	7	3	9	2	4	1	8	6

63

5	4	3	8	7	2	1	9	6
8	6	7	9	4	1	5	2	3
9	2	1	5	3	6	4	8	7
2	7	6	4	5	9	8	3	1
4	1	9	3	6	8	7	5	2
3	5	8	1	2	7	6	4	9
7	9	5	2	1	4	3	6	8
6	3	2	7	8	5	9	1	4
1	8	4	6	9	3	2	7	5

64

2	3	6	5	4	9	1	7	8
9	4	7	2	8	1	6	5	3
5	8	1	3	7	6	9	2	4
1	6	3	9	5	2	8	4	7
8	2	9	7	3	4	5	1	6
7	5	4	6	1	8	3	9	2
6	1	5	8	2	7	4	3	9
4	9	2	1	6	3	7	8	5
3	7	8	4	9	5	2	6	1

65

7	8	6	4	3	2	9	1	5
1	9	2	8	7	5	3	6	4
3	5	4	9	1	6	2	7	8
4	3	7	5	6	9	1	8	2
8	2	5	7	4	1	6	9	3
6	1	9	3	2	8	4	5	7
2	6	8	1	5	3	7	4	9
5	4	3	6	9	7	8	2	1
9	7	1	2	8	4	5	3	6

66

1	4	8	7	5	6	3	9	2
2	9	7	8	3	4	6	5	1
5	3	6	9	1	2	8	7	4
8	2	3	1	4	7	9	6	5
7	1	5	6	9	8	4	2	3
9	6	4	5	2	3	7	1	8
4	5	2	3	6	9	1	8	7
6	8	1	4	7	5	2	3	9
3	7	9	2	8	1	5	4	6

67

7	3	8	2	9	1	6	4	5
5	1	2	6	7	4	3	9	8
4	6	9	8	5	3	7	1	2
3	4	7	5	2	9	8	6	1
6	8	5	1	4	7	9	2	3
9	2	1	3	8	6	4	5	7
1	7	3	9	6	2	5	8	4
8	9	4	7	1	5	2	3	6
2	5	6	4	3	8	1	7	9

68

2	6	1	7	8	5	9	4	3
8	9	4	1	6	3	2	5	7
3	5	7	4	9	2	6	8	1
6	2	3	8	4	7	5	1	9
5	7	8	9	2	1	3	6	4
4	1	9	5	3	6	7	2	8
7	4	6	3	5	8	1	9	2
1	8	5	2	7	9	4	3	6
9	3	2	6	1	4	8	7	5

69

3	6	7	1	5	4	8	9	2
1	4	9	8	2	6	7	5	3
5	8	2	9	7	3	4	6	1
2	9	3	7	8	1	5	4	6
4	7	5	6	3	9	2	1	8
8	1	6	5	4	2	9	3	7
6	5	8	4	1	7	3	2	9
7	3	1	2	9	5	6	8	4
9	2	4	3	6	8	1	7	5

70

7	3	4	5	8	6	2	9	1
2	1	8	4	7	9	6	5	3
6	9	5	1	3	2	7	4	8
1	8	7	3	5	4	9	2	6
5	6	9	8	2	1	4	3	7
4	2	3	6	9	7	1	8	5
3	7	2	9	6	8	5	1	4
8	4	6	2	1	5	3	7	9
9	5	1	7	4	3	8	6	2

71

5	2	4	6	8	7	1	3	9
6	7	9	3	4	1	5	8	2
8	1	3	5	9	2	6	4	7
9	3	8	4	7	5	2	6	1
2	6	5	1	3	9	4	7	8
1	4	7	8	2	6	9	5	3
4	8	1	2	5	3	7	9	6
7	5	2	9	6	8	3	1	4
3	9	6	7	1	4	8	2	5

72

8	5	6	9	4	1	7	2	3
1	3	7	2	6	5	4	8	9
9	2	4	8	7	3	6	1	5
6	9	2	5	3	8	1	7	4
7	4	5	6	1	2	9	3	8
3	8	1	7	9	4	5	6	2
2	6	9	4	8	7	3	5	1
4	1	8	3	5	6	2	9	7
5	7	3	1	2	9	8	4	6

73

1	7	8	2	5	6	4	9	3
3	5	2	9	8	4	7	1	6
4	6	9	1	7	3	2	8	5
8	1	3	5	4	9	6	7	2
6	2	5	8	3	7	1	4	9
9	4	7	6	1	2	3	5	8
2	3	1	7	9	5	8	6	4
7	9	6	4	2	8	5	3	1
5	8	4	3	6	1	9	2	7

74

1	8	7	9	2	4	5	6	3
6	4	5	7	8	3	2	1	9
9	2	3	5	1	6	7	8	4
2	9	4	8	6	7	1	3	5
5	3	1	2	4	9	6	7	8
8	7	6	3	5	1	4	9	2
4	6	8	1	9	2	3	5	7
3	5	2	6	7	8	9	4	1
7	1	9	4	3	5	8	2	6

75

2	5	8	4	3	9	7	6	1
6	4	7	2	8	1	9	3	5
9	1	3	7	6	5	8	2	4
5	3	6	1	9	2	4	7	8
7	8	9	5	4	3	6	1	2
1	2	4	6	7	8	3	5	9
8	9	2	3	5	6	1	4	7
4	6	5	8	1	7	2	9	3
3	7	1	9	2	4	5	8	6

76

1	5	9	4	8	6	7	2	3
4	6	7	9	2	3	5	1	8
2	3	8	7	1	5	6	9	4
5	2	3	1	7	4	8	6	9
6	8	4	5	9	2	3	7	1
9	7	1	6	3	8	2	4	5
8	4	5	2	6	9	1	3	7
3	1	6	8	4	7	9	5	2
7	9	2	3	5	1	4	8	6

77

9	3	8	6	5	4	2	1	7
1	5	7	9	2	3	8	6	4
6	2	4	8	1	7	3	9	5
3	4	5	1	8	6	9	7	2
7	1	2	3	9	5	6	4	8
8	6	9	7	4	2	5	3	1
2	8	1	4	3	9	7	5	6
4	7	3	5	6	8	1	2	9
5	9	6	2	7	1	4	8	3

78

8	5	2	9	4	7	6	1	3
1	4	7	3	6	8	9	2	5
3	9	6	1	2	5	8	4	7
6	1	3	7	5	4	2	8	9
7	8	9	2	1	6	5	3	4
4	2	5	8	9	3	7	6	1
2	7	1	4	8	9	3	5	6
9	6	4	5	3	2	1	7	8
5	3	8	6	7	1	4	9	2

79

3	4	7	8	2	6	5	9	1
6	5	2	1	4	9	3	7	8
1	8	9	3	5	7	2	4	6
4	7	1	9	3	5	8	6	2
5	6	3	7	8	2	9	1	4
9	2	8	6	1	4	7	3	5
2	1	6	5	7	3	4	8	9
8	3	5	4	9	1	6	2	7
7	9	4	2	6	8	1	5	3

80

5	3	2	1	9	7	6	4	8
9	8	4	6	5	2	7	3	1
7	1	6	8	3	4	2	9	5
6	5	8	2	1	9	4	7	3
2	9	7	3	4	5	1	8	6
3	4	1	7	6	8	9	5	2
8	7	3	4	2	6	5	1	9
1	2	5	9	7	3	8	6	4
4	6	9	5	8	1	3	2	7

81

8	2	9	5	1	6	7	4	3
4	7	3	9	8	2	6	5	1
6	5	1	4	7	3	8	9	2
5	6	8	1	4	9	3	2	7
2	9	7	3	6	5	1	8	4
3	1	4	8	2	7	9	6	5
1	4	6	7	5	8	2	3	9
7	3	2	6	9	4	5	1	8
9	8	5	2	3	1	4	7	6

82

2	5	3	1	6	7	4	8	9
7	6	1	8	9	4	5	3	2
4	9	8	5	3	2	6	7	1
5	7	2	9	1	6	8	4	3
6	3	4	2	5	8	1	9	7
1	8	9	7	4	3	2	6	5
9	4	5	3	8	1	7	2	6
8	1	7	6	2	9	3	5	4
3	2	6	4	7	5	9	1	8

83

3	6	4	1	2	5	7	8	9
8	9	2	3	7	4	6	5	1
1	7	5	6	9	8	3	2	4
2	4	6	5	8	7	9	1	3
9	1	8	4	6	3	5	7	2
7	5	3	9	1	2	8	4	6
4	8	7	2	3	6	1	9	5
5	3	1	8	4	9	2	6	7
6	2	9	7	5	1	4	3	8

84

9	6	1	2	4	5	3	8	7
4	3	5	6	8	7	1	9	2
8	2	7	9	3	1	5	4	6
2	7	9	1	5	4	8	6	3
1	5	6	3	9	8	7	2	4
3	8	4	7	6	2	9	1	5
7	9	8	4	2	3	6	5	1
5	1	2	8	7	6	4	3	9
6	4	3	5	1	9	2	7	8

85

3	7	6	8	2	1	9	5	4
1	5	4	9	6	3	8	2	7
9	8	2	5	4	7	1	3	6
8	2	5	3	9	4	6	7	1
6	1	9	2	7	5	4	8	3
7	4	3	1	8	6	2	9	5
4	6	8	7	5	2	3	1	9
2	3	7	6	1	9	5	4	8
5	9	1	4	3	8	7	6	2

86

8	1	2	6	5	9	7	3	4
6	4	9	7	3	8	5	2	1
7	5	3	1	4	2	6	9	8
5	6	1	9	8	3	4	7	2
4	3	7	5	2	1	8	6	9
2	9	8	4	6	7	3	1	5
1	7	6	8	9	5	2	4	3
3	8	4	2	1	6	9	5	7
9	2	5	3	7	4	1	8	6

87

6	4	2	9	5	3	7	8	1
1	9	8	7	2	4	6	5	3
3	7	5	8	6	1	9	2	4
8	3	1	4	7	9	2	6	5
4	5	9	6	8	2	3	1	7
2	6	7	1	3	5	4	9	8
7	1	3	5	9	6	8	4	2
5	8	6	2	4	7	1	3	9
9	2	4	3	1	8	5	7	6

88

5	6	1	4	3	9	8	7	2
2	3	8	7	5	6	9	4	1
9	7	4	2	1	8	6	5	3
1	8	9	3	6	4	5	2	7
6	5	7	8	2	1	3	9	4
3	4	2	5	9	7	1	6	8
8	9	6	1	4	2	7	3	5
4	1	5	6	7	3	2	8	9
7	2	3	9	8	5	4	1	6

89

1	6	8	3	4	5	2	7	9
5	9	2	7	6	1	4	3	8
7	4	3	2	9	8	1	5	6
8	1	9	5	3	6	7	4	2
6	7	5	4	8	2	3	9	1
3	2	4	1	7	9	8	6	5
9	3	6	8	2	4	5	1	7
4	8	1	6	5	7	9	2	3
2	5	7	9	1	3	6	8	4

90

2	4	7	3	6	1	9	5	8
5	8	1	4	7	9	3	6	2
3	9	6	8	5	2	4	7	1
8	7	9	5	2	4	6	1	3
1	5	3	7	8	6	2	4	9
6	2	4	9	1	3	5	8	7
9	1	5	2	4	8	7	3	6
4	6	2	1	3	7	8	9	5
7	3	8	6	9	5	1	2	4

91

5	8	4	7	6	9	1	2	3
9	6	2	8	1	3	7	5	4
7	3	1	2	4	5	6	9	8
8	1	5	4	3	7	9	6	2
4	9	3	6	5	2	8	7	1
6	2	7	9	8	1	3	4	5
2	4	6	3	9	8	5	1	7
3	5	9	1	7	4	2	8	6
1	7	8	5	2	6	4	3	9

92

4	9	2	3	6	1	5	8	7
3	5	6	8	7	9	4	1	2
8	7	1	5	4	2	9	3	6
2	4	7	6	1	8	3	9	5
9	6	3	2	5	4	1	7	8
1	8	5	9	3	7	6	2	4
5	1	9	7	2	6	8	4	3
6	2	4	1	8	3	7	5	9
7	3	8	4	9	5	2	6	1

93

1	4	7	2	5	8	6	3	9
3	6	2	9	1	4	5	7	8
9	8	5	3	6	7	4	2	1
2	9	1	6	4	3	8	5	7
6	7	3	8	2	5	9	1	4
4	5	8	1	7	9	3	6	2
7	3	6	4	8	1	2	9	5
8	1	9	5	3	2	7	4	6
5	2	4	7	9	6	1	8	3

94

7	9	6	3	4	2	5	1	8
8	2	1	5	6	9	4	7	3
5	3	4	7	8	1	9	2	6
3	4	5	6	7	8	1	9	2
9	8	7	1	2	5	6	3	4
1	6	2	9	3	4	8	5	7
2	7	9	4	1	6	3	8	5
4	1	3	8	5	7	2	6	9
6	5	8	2	9	3	7	4	1

95

6	7	2	5	1	9	8	4	3
1	5	4	3	8	7	6	9	2
8	3	9	4	2	6	7	1	5
2	6	8	9	3	1	4	5	7
5	1	7	6	4	2	3	8	9
4	9	3	8	7	5	1	2	6
3	2	5	1	6	8	9	7	4
7	8	6	2	9	4	5	3	1
9	4	1	7	5	3	2	6	8

96

3	1	9	5	6	8	2	4	7
4	7	2	9	3	1	6	5	8
6	8	5	2	7	4	1	3	9
9	2	4	3	1	6	7	8	5
7	5	3	8	4	2	9	1	6
8	6	1	7	5	9	4	2	3
5	4	6	1	8	7	3	9	2
2	3	7	4	9	5	8	6	1
1	9	8	6	2	3	5	7	4

97

4	9	6	8	2	5	1	3	7
8	3	2	1	4	7	5	9	6
5	1	7	6	3	9	8	4	2
1	7	3	2	5	4	9	6	8
9	6	5	7	8	3	2	1	4
2	8	4	9	1	6	3	7	5
6	2	1	4	9	8	7	5	3
7	5	9	3	6	2	4	8	1
3	4	8	5	7	1	6	2	9

98

6	8	7	9	4	1	2	5	3
1	3	4	6	5	2	7	9	8
9	5	2	8	3	7	6	4	1
4	1	9	3	7	6	8	2	5
5	2	8	1	9	4	3	6	7
7	6	3	2	8	5	9	1	4
2	7	6	4	1	3	5	8	9
3	9	1	5	2	8	4	7	6
8	4	5	7	6	9	1	3	2

99

5	7	2	4	9	8	3	6	1
3	4	8	6	1	7	5	9	2
6	9	1	2	5	3	4	8	7
8	6	7	5	2	4	1	3	9
4	1	9	8	3	6	2	7	5
2	3	5	1	7	9	6	4	8
1	8	6	9	4	2	7	5	3
9	5	3	7	6	1	8	2	4
7	2	4	3	8	5	9	1	6

100

3	1	8	7	5	4	2	9	6
2	7	9	6	3	1	4	5	8
6	4	5	8	9	2	7	3	1
9	6	4	2	8	7	3	1	5
8	3	2	9	1	5	6	4	7
1	5	7	4	6	3	9	8	2
5	2	1	3	7	9	8	6	4
7	8	3	1	4	6	5	2	9
4	9	6	5	2	8	1	7	3

101

9	6	2	3	5	8	4	1	7
7	8	4	6	1	9	5	3	2
5	3	1	7	4	2	6	8	9
1	4	7	2	3	5	9	6	8
3	2	5	8	9	6	1	7	4
8	9	6	1	7	4	2	5	3
6	5	9	4	8	7	3	2	1
2	7	3	9	6	1	8	4	5
4	1	8	5	2	3	7	9	6

102

2	9	1	8	7	5	4	3	6
6	3	8	9	2	4	5	7	1
4	5	7	1	6	3	9	2	8
3	1	2	4	9	7	6	8	5
5	4	6	3	8	2	7	1	9
7	8	9	5	1	6	2	4	3
1	6	5	7	4	8	3	9	2
8	7	3	2	5	9	1	6	4
9	2	4	6	3	1	8	5	7

103

8	6	7	1	9	4	3	5	2
4	3	9	5	2	6	7	8	1
1	2	5	3	7	8	6	9	4
2	8	3	4	5	9	1	6	7
9	7	6	2	1	3	5	4	8
5	4	1	8	6	7	2	3	9
7	5	8	6	4	1	9	2	3
6	1	4	9	3	2	8	7	5
3	9	2	7	8	5	4	1	6

104

4	5	8	3	1	7	2	6	9
3	9	2	6	4	5	7	1	8
1	6	7	9	2	8	3	5	4
5	1	3	2	9	4	8	7	6
7	8	4	1	5	6	9	2	3
6	2	9	7	8	3	5	4	1
8	7	6	5	3	1	4	9	2
2	4	1	8	7	9	6	3	5
9	3	5	4	6	2	1	8	7

105

2	3	6	4	9	5	1	7	8
1	4	9	2	7	8	6	3	5
7	8	5	1	6	3	2	9	4
9	1	3	5	4	7	8	2	6
6	5	8	3	2	9	4	1	7
4	2	7	8	1	6	3	5	9
8	6	1	7	5	2	9	4	3
5	9	4	6	3	1	7	8	2
3	7	2	9	8	4	5	6	1

106

1	7	4	8	2	9	6	5	3
9	6	2	5	3	4	8	1	7
5	8	3	6	7	1	2	4	9
8	3	9	4	5	7	1	2	6
4	2	1	9	6	3	5	7	8
6	5	7	1	8	2	9	3	4
3	4	5	2	9	8	7	6	1
7	9	6	3	1	5	4	8	2
2	1	8	7	4	6	3	9	5

107

9	2	3	8	7	5	4	6	1
8	1	7	6	3	4	5	9	2
6	4	5	9	1	2	7	3	8
4	3	6	5	9	8	2	1	7
1	7	9	2	4	3	6	8	5
2	5	8	7	6	1	3	4	9
3	8	4	1	5	7	9	2	6
7	6	1	4	2	9	8	5	3
5	9	2	3	8	6	1	7	4

108

8	2	7	5	4	6	3	1	9
3	1	5	8	9	7	4	6	2
6	9	4	2	1	3	8	5	7
2	5	9	1	8	4	6	7	3
4	3	8	6	7	9	1	2	5
7	6	1	3	5	2	9	4	8
5	7	3	4	6	8	2	9	1
9	8	6	7	2	1	5	3	4
1	4	2	9	3	5	7	8	6

109

2	7	4	5	6	3	8	1	9
5	6	9	7	1	8	4	2	3
1	3	8	2	4	9	5	6	7
7	8	1	3	9	2	6	4	5
9	2	3	4	5	6	7	8	1
6	4	5	1	8	7	9	3	2
4	5	6	9	2	1	3	7	8
3	9	2	8	7	4	1	5	6
8	1	7	6	3	5	2	9	4

110

7	8	4	9	5	6	3	2	1
5	2	1	3	8	7	6	4	9
3	6	9	1	4	2	7	8	5
6	9	5	7	3	4	2	1	8
8	7	2	6	1	9	4	5	3
4	1	3	8	2	5	9	7	6
2	3	7	5	9	8	1	6	4
1	4	8	2	6	3	5	9	7
9	5	6	4	7	1	8	3	2

111

3	2	5	8	9	4	1	6	7
6	8	1	7	5	3	9	2	4
7	4	9	6	2	1	5	3	8
9	7	8	2	3	6	4	5	1
2	1	6	5	4	8	7	9	3
4	5	3	1	7	9	6	8	2
8	3	4	9	6	7	2	1	5
5	9	7	3	1	2	8	4	6
1	6	2	4	8	5	3	7	9

112

4	2	5	3	1	9	8	6	7
9	7	8	4	2	6	1	3	5
3	1	6	8	7	5	9	2	4
6	4	7	2	3	1	5	9	8
5	8	1	9	6	7	2	4	3
2	9	3	5	8	4	6	7	1
7	5	9	1	4	2	3	8	6
1	3	4	6	9	8	7	5	2
8	6	2	7	5	3	4	1	9

113

7	9	8	6	5	2	3	4	1
5	4	6	7	3	1	8	9	2
1	3	2	4	8	9	7	6	5
9	8	3	1	2	7	4	5	6
6	5	7	3	9	4	1	2	8
2	1	4	5	6	8	9	3	7
4	7	9	2	1	6	5	8	3
3	2	1	8	4	5	6	7	9
8	6	5	9	7	3	2	1	4

114

4	1	7	3	9	2	6	8	5
2	6	9	7	8	5	4	3	1
5	8	3	4	1	6	2	7	9
3	9	4	2	7	8	1	5	6
6	2	8	5	3	1	9	4	7
7	5	1	6	4	9	8	2	3
9	3	5	1	2	4	7	6	8
8	7	2	9	6	3	5	1	4
1	4	6	8	5	7	3	9	2

115

8	1	7	6	4	3	2	5	9
4	5	2	1	8	9	3	7	6
6	3	9	5	2	7	8	4	1
3	4	1	2	7	5	9	6	8
9	6	8	4	3	1	5	2	7
2	7	5	8	9	6	4	1	3
7	8	4	3	6	2	1	9	5
5	9	3	7	1	4	6	8	2
1	2	6	9	5	8	7	3	4

116

9	1	4	5	2	3	8	7	6
2	5	7	6	4	8	9	1	3
8	3	6	9	1	7	5	4	2
5	6	9	2	8	1	7	3	4
1	7	3	4	6	5	2	9	8
4	2	8	7	3	9	6	5	1
7	4	1	8	5	2	3	6	9
3	9	2	1	7	6	4	8	5
6	8	5	3	9	4	1	2	7

117

8	3	7	2	6	1	5	9	4
6	1	4	8	5	9	2	7	3
2	5	9	7	3	4	8	1	6
1	4	3	9	2	6	7	8	5
7	2	5	1	8	3	6	4	9
9	8	6	4	7	5	3	2	1
4	6	2	3	9	7	1	5	8
5	9	8	6	1	2	4	3	7
3	7	1	5	4	8	9	6	2

118

1	8	3	5	9	2	4	6	7
6	2	7	3	8	4	9	5	1
9	4	5	1	6	7	8	3	2
5	3	1	7	4	8	6	2	9
7	9	4	2	1	6	5	8	3
2	6	8	9	5	3	1	7	4
4	5	2	6	3	1	7	9	8
3	1	6	8	7	9	2	4	5
8	7	9	4	2	5	3	1	6

119

5	1	4	9	7	8	2	3	6
7	8	6	2	5	3	4	9	1
9	2	3	6	4	1	8	5	7
6	9	5	7	2	4	1	8	3
8	4	2	1	3	5	7	6	9
1	3	7	8	6	9	5	2	4
4	7	9	5	8	6	3	1	2
2	5	1	3	9	7	6	4	8
3	6	8	4	1	2	9	7	5

120

3	2	9	6	4	5	8	7	1
4	8	7	3	9	1	5	6	2
5	6	1	2	8	7	4	9	3
8	9	4	5	1	6	2	3	7
6	7	5	8	2	3	9	1	4
2	1	3	4	7	9	6	8	5
9	5	6	1	3	2	7	4	8
7	3	8	9	5	4	1	2	6
1	4	2	7	6	8	3	5	9

121

7	1	2	6	5	4	3	9	8
8	6	9	1	7	3	4	2	5
4	3	5	8	2	9	7	1	6
5	9	8	2	4	7	1	6	3
3	2	7	5	6	1	9	8	4
1	4	6	9	3	8	2	5	7
9	7	1	4	8	5	6	3	2
6	8	3	7	9	2	5	4	1
2	5	4	3	1	6	8	7	9

122

5	9	6	1	7	2	8	3	4
1	8	7	3	4	6	2	5	9
4	2	3	9	8	5	7	1	6
8	5	4	2	6	1	3	9	7
7	6	2	8	9	3	1	4	5
3	1	9	4	5	7	6	2	8
6	4	1	7	2	9	5	8	3
9	3	5	6	1	8	4	7	2
2	7	8	5	3	4	9	6	1

123

7	5	9	2	3	6	1	8	4
3	1	4	8	7	9	6	2	5
2	6	8	5	1	4	7	9	3
5	3	7	9	6	8	2	4	1
4	9	1	3	2	5	8	7	6
8	2	6	7	4	1	5	3	9
1	7	2	6	9	3	4	5	8
9	4	5	1	8	7	3	6	2
6	8	3	4	5	2	9	1	7

124

5	3	2	1	6	9	4	8	7
7	8	9	5	2	4	3	1	6
1	4	6	8	7	3	5	9	2
9	6	4	2	5	7	1	3	8
3	7	5	4	8	1	2	6	9
8	2	1	3	9	6	7	4	5
4	9	8	7	1	2	6	5	3
6	1	7	9	3	5	8	2	4
2	5	3	6	4	8	9	7	1

125

2	4	8	6	3	1	9	7	5
9	5	6	4	7	2	1	3	8
3	1	7	9	8	5	6	4	2
5	9	4	1	2	6	3	8	7
6	8	2	3	9	7	5	1	4
7	3	1	5	4	8	2	9	6
8	6	5	7	1	3	4	2	9
1	2	9	8	6	4	7	5	3
4	7	3	2	5	9	8	6	1

126

7	5	2	4	6	3	8	9	1
9	4	3	1	2	8	7	6	5
8	6	1	5	9	7	3	2	4
6	8	9	3	4	2	5	1	7
1	7	4	8	5	6	9	3	2
2	3	5	7	1	9	4	8	6
5	1	8	6	3	4	2	7	9
4	2	7	9	8	1	6	5	3
3	9	6	2	7	5	1	4	8

127

3	2	1	9	8	7	4	5	6
7	4	6	3	5	1	2	9	8
5	8	9	2	4	6	1	7	3
2	7	4	1	3	8	9	6	5
9	6	5	7	2	4	3	8	1
8	1	3	6	9	5	7	2	4
4	3	8	5	7	2	6	1	9
6	5	2	4	1	9	8	3	7
1	9	7	8	6	3	5	4	2

128

4	7	8	6	1	5	3	9	2
6	5	1	9	3	2	8	4	7
9	2	3	4	8	7	1	6	5
7	3	9	5	4	8	6	2	1
2	1	6	7	9	3	4	5	8
5	8	4	2	6	1	9	7	3
1	4	5	3	2	6	7	8	9
3	6	2	8	7	9	5	1	4
8	9	7	1	5	4	2	3	6

129

7	2	9	1	5	3	8	4	6
6	8	1	4	9	2	5	7	3
5	3	4	8	7	6	9	2	1
9	4	2	6	1	5	7	3	8
1	6	5	3	8	7	2	9	4
8	7	3	2	4	9	1	6	5
3	9	6	5	2	1	4	8	7
4	5	7	9	6	8	3	1	2
2	1	8	7	3	4	6	5	9

130

9	4	2	6	5	1	7	3	8
3	1	7	8	2	9	5	4	6
8	6	5	3	4	7	1	2	9
6	7	8	5	1	4	2	9	3
1	5	9	2	3	8	4	6	7
2	3	4	7	9	6	8	1	5
4	9	3	1	8	5	6	7	2
5	2	6	4	7	3	9	8	1
7	8	1	9	6	2	3	5	4

131

7	8	3	1	5	9	2	4	6
6	5	2	8	4	3	1	9	7
4	1	9	7	6	2	5	3	8
2	7	1	5	3	6	9	8	4
9	6	5	4	8	1	7	2	3
3	4	8	2	9	7	6	5	1
1	9	7	3	2	4	8	6	5
5	3	6	9	1	8	4	7	2
8	2	4	6	7	5	3	1	9

132

1	3	5	7	2	4	9	8	6
9	2	8	6	5	1	7	3	4
7	4	6	3	8	9	2	1	5
2	5	7	8	6	3	4	9	1
4	8	1	2	9	7	5	6	3
6	9	3	4	1	5	8	7	2
3	7	9	1	4	2	6	5	8
8	1	4	5	7	6	3	2	9
5	6	2	9	3	8	1	4	7

133

1	6	5	3	9	8	7	4	2
8	2	3	6	7	4	1	9	5
7	4	9	1	5	2	6	3	8
5	3	8	7	1	9	4	2	6
6	9	7	4	2	5	3	8	1
4	1	2	8	6	3	9	5	7
9	5	1	2	4	6	8	7	3
2	8	6	9	3	7	5	1	4
3	7	4	5	8	1	2	6	9

134

6	8	9	4	5	3	1	7	2
4	5	3	7	2	1	9	8	6
2	1	7	9	6	8	4	5	3
5	4	2	3	7	6	8	1	9
8	3	1	5	9	4	6	2	7
9	7	6	1	8	2	5	3	4
7	9	4	2	1	5	3	6	8
1	2	8	6	3	9	7	4	5
3	6	5	8	4	7	2	9	1

135

9	8	1	6	7	2	5	3	4
5	6	7	8	3	4	2	1	9
2	3	4	5	9	1	8	6	7
6	7	2	4	8	5	1	9	3
4	5	8	9	1	3	7	2	6
3	1	9	2	6	7	4	8	5
7	2	6	1	5	9	3	4	8
1	9	3	7	4	8	6	5	2
8	4	5	3	2	6	9	7	1

136

4	1	2	6	3	5	9	8	7
8	5	7	9	1	2	3	4	6
9	3	6	8	4	7	2	5	1
7	8	3	2	9	4	6	1	5
1	2	4	5	6	3	7	9	8
5	6	9	1	7	8	4	2	3
6	7	8	4	2	1	5	3	9
3	4	1	7	5	9	8	6	2
2	9	5	3	8	6	1	7	4

137

3	1	7	5	9	8	6	4	2
6	4	5	2	7	3	1	8	9
2	8	9	6	4	1	7	5	3
4	6	2	8	1	5	9	3	7
1	7	8	9	3	2	5	6	4
9	5	3	4	6	7	2	1	8
8	2	1	3	5	9	4	7	6
7	9	4	1	8	6	3	2	5
5	3	6	7	2	4	8	9	1

138

7	9	2	3	6	1	5	8	4
5	8	1	4	2	7	6	9	3
6	3	4	9	8	5	2	7	1
2	5	7	8	1	9	3	4	6
1	6	3	7	4	2	9	5	8
9	4	8	6	5	3	7	1	2
8	7	9	2	3	4	1	6	5
4	2	5	1	9	6	8	3	7
3	1	6	5	7	8	4	2	9

139

6	4	3	2	9	1	5	7	8
1	2	9	7	5	8	4	3	6
7	8	5	4	6	3	9	2	1
3	6	4	8	1	5	2	9	7
5	9	7	6	2	4	1	8	3
8	1	2	3	7	9	6	5	4
2	5	8	1	4	7	3	6	9
4	7	6	9	3	2	8	1	5
9	3	1	5	8	6	7	4	2

140

7	8	9	6	3	4	5	1	2
4	2	5	1	7	8	3	9	6
6	3	1	2	5	9	8	7	4
5	1	4	3	8	6	9	2	7
2	6	8	9	4	7	1	5	3
3	9	7	5	1	2	4	6	8
9	7	3	4	6	1	2	8	5
8	5	2	7	9	3	6	4	1
1	4	6	8	2	5	7	3	9

141

6	4	1	2	3	9	7	5	8
8	9	5	7	4	1	3	2	6
2	7	3	8	5	6	9	1	4
4	2	9	5	1	8	6	7	3
5	3	7	9	6	4	1	8	2
1	8	6	3	7	2	4	9	5
9	5	4	1	2	3	8	6	7
7	6	8	4	9	5	2	3	1
3	1	2	6	8	7	5	4	9

142

1	3	9	4	7	6	2	5	8
4	6	7	5	2	8	9	1	3
5	8	2	1	9	3	7	4	6
9	5	3	7	6	1	8	2	4
7	1	6	2	8	4	3	9	5
2	4	8	9	3	5	6	7	1
3	2	5	6	1	9	4	8	7
6	9	1	8	4	7	5	3	2
8	7	4	3	5	2	1	6	9

143

9	5	1	4	7	8	6	3	2
3	7	4	6	2	5	9	1	8
6	8	2	3	1	9	4	7	5
7	6	5	2	9	3	8	4	1
2	9	8	1	5	4	3	6	7
1	4	3	7	8	6	5	2	9
8	3	7	9	6	1	2	5	4
5	2	6	8	4	7	1	9	3
4	1	9	5	3	2	7	8	6

144

6	1	3	7	8	9	2	4	5
7	5	9	4	2	1	8	6	3
2	8	4	3	5	6	9	1	7
8	4	2	5	9	3	6	7	1
1	7	5	8	6	2	4	3	9
3	9	6	1	7	4	5	2	8
5	3	1	2	4	8	7	9	6
9	2	8	6	3	7	1	5	4
4	6	7	9	1	5	3	8	2

145

3	4	1	5	7	8	2	9	6
9	6	8	3	4	2	7	5	1
5	7	2	6	1	9	4	3	8
6	1	7	4	9	3	8	2	5
2	9	4	7	8	5	1	6	3
8	3	5	2	6	1	9	4	7
1	2	9	8	3	6	5	7	4
7	8	6	9	5	4	3	1	2
4	5	3	1	2	7	6	8	9

146

6	4	5	1	2	8	9	3	7
8	9	2	3	7	6	4	5	1
1	7	3	5	4	9	6	8	2
9	1	8	7	3	5	2	4	6
5	3	4	6	1	2	7	9	8
7	2	6	8	9	4	5	1	3
3	6	9	4	8	7	1	2	5
2	5	1	9	6	3	8	7	4
4	8	7	2	5	1	3	6	9

147

8	3	5	6	1	9	4	2	7
4	6	9	2	7	3	5	8	1
2	1	7	8	4	5	6	9	3
5	7	3	1	9	2	8	4	6
9	4	6	5	8	7	3	1	2
1	2	8	4	3	6	9	7	5
6	8	4	3	2	1	7	5	9
7	5	1	9	6	4	2	3	8
3	9	2	7	5	8	1	6	4

148

8	3	5	7	9	1	4	2	6
6	9	4	3	8	2	1	7	5
7	2	1	4	6	5	8	3	9
1	7	2	5	3	8	9	6	4
9	4	6	2	1	7	3	5	8
5	8	3	9	4	6	2	1	7
3	5	9	6	2	4	7	8	1
4	1	7	8	5	3	6	9	2
2	6	8	1	7	9	5	4	3

149

5	1	2	3	8	7	6	4	9
7	3	8	9	6	4	2	5	1
4	9	6	1	2	5	8	7	3
9	8	7	6	4	1	5	3	2
3	2	5	8	7	9	4	1	6
1	6	4	2	5	3	7	9	8
6	7	9	4	1	2	3	8	5
2	4	1	5	3	8	9	6	7
8	5	3	7	9	6	1	2	4

150

1	5	8	3	9	2	6	4	7
3	7	9	1	6	4	8	2	5
6	4	2	5	7	8	3	1	9
4	2	1	6	3	7	9	5	8
5	8	3	4	2	9	1	7	6
7	9	6	8	1	5	4	3	2
2	1	7	9	8	3	5	6	4
9	3	4	7	5	6	2	8	1
8	6	5	2	4	1	7	9	3

151

1	9	3	6	4	8	2	7	5
7	5	8	1	3	2	4	6	9
4	2	6	7	5	9	1	3	8
6	3	5	9	7	1	8	2	4
9	4	2	3	8	5	6	1	7
8	1	7	4	2	6	9	5	3
3	6	4	2	9	7	5	8	1
5	7	1	8	6	4	3	9	2
2	8	9	5	1	3	7	4	6

152

5	6	8	1	7	4	3	9	2
7	3	1	9	2	5	6	8	4
9	4	2	8	6	3	5	7	1
6	7	9	3	8	1	2	4	5
4	2	3	7	5	6	8	1	9
8	1	5	2	4	9	7	6	3
2	9	7	4	3	8	1	5	6
3	5	4	6	1	7	9	2	8
1	8	6	5	9	2	4	3	7

153

9	5	7	6	2	8	4	3	1
6	4	2	1	9	3	7	5	8
8	3	1	5	7	4	9	2	6
1	8	3	4	6	2	5	9	7
5	7	9	8	3	1	2	6	4
2	6	4	9	5	7	1	8	3
4	9	6	7	8	5	3	1	2
7	2	8	3	1	9	6	4	5
3	1	5	2	4	6	8	7	9

154

9	5	4	7	6	8	2	3	1
6	8	3	5	1	2	7	9	4
2	7	1	3	4	9	5	8	6
3	4	5	6	2	1	9	7	8
7	6	2	9	8	5	1	4	3
8	1	9	4	3	7	6	5	2
1	2	7	8	5	4	3	6	9
4	9	6	2	7	3	8	1	5
5	3	8	1	9	6	4	2	7

155

4	5	9	6	2	8	1	7	3
2	3	6	7	1	5	9	4	8
1	7	8	4	3	9	6	5	2
9	4	5	8	7	1	3	2	6
3	6	2	5	9	4	7	8	1
8	1	7	3	6	2	5	9	4
5	2	1	9	4	3	8	6	7
6	9	4	1	8	7	2	3	5
7	8	3	2	5	6	4	1	9

156

6	9	5	7	8	2	3	1	4
2	7	8	4	3	1	9	5	6
3	1	4	5	6	9	2	7	8
7	8	2	3	1	4	5	6	9
1	4	3	6	9	5	7	8	2
9	5	6	8	2	7	1	4	3
4	3	1	9	5	6	8	2	7
5	6	9	2	7	8	4	3	1
8	2	7	1	4	3	6	9	5

157

6	4	2	5	7	1	3	8	9
3	1	9	8	4	6	5	7	2
7	8	5	9	3	2	4	6	1
1	3	8	6	5	4	2	9	7
5	6	7	2	8	9	1	3	4
9	2	4	7	1	3	6	5	8
2	7	3	4	6	8	9	1	5
8	9	1	3	2	5	7	4	6
4	5	6	1	9	7	8	2	3

158

1	3	5	6	4	9	2	7	8
7	6	9	5	2	8	3	1	4
2	8	4	7	1	3	5	9	6
6	4	1	2	7	5	8	3	9
3	9	2	4	8	6	7	5	1
5	7	8	9	3	1	6	4	2
9	2	3	1	6	7	4	8	5
8	5	6	3	9	4	1	2	7
4	1	7	8	5	2	9	6	3

159

3	2	9	7	1	5	6	8	4
4	5	8	6	3	9	7	2	1
6	1	7	4	2	8	5	9	3
8	4	2	9	7	1	3	6	5
9	7	1	3	5	6	2	4	8
5	6	3	2	8	4	1	7	9
7	8	5	1	4	2	9	3	6
1	3	6	8	9	7	4	5	2
2	9	4	5	6	3	8	1	7

160

2	6	5	3	7	9	4	8	1
9	4	3	8	1	2	6	5	7
1	8	7	5	4	6	9	3	2
7	5	9	1	3	4	2	6	8
3	2	8	6	9	7	1	4	5
6	1	4	2	5	8	7	9	3
5	3	6	4	2	1	8	7	9
4	9	1	7	8	3	5	2	6
8	7	2	9	6	5	3	1	4

161

9	2	1	5	4	7	6	3	8
5	6	4	3	8	2	7	1	9
3	7	8	9	6	1	4	5	2
4	3	6	8	7	5	2	9	1
8	1	2	4	9	3	5	7	6
7	9	5	2	1	6	8	4	3
6	5	9	1	2	4	3	8	7
2	8	3	7	5	9	1	6	4
1	4	7	6	3	8	9	2	5

162

9	7	5	8	2	6	4	3	1
3	2	8	9	4	1	5	7	6
4	6	1	3	7	5	2	9	8
2	5	3	6	8	4	9	1	7
7	1	6	5	9	2	3	8	4
8	4	9	1	3	7	6	5	2
1	3	7	4	6	9	8	2	5
6	8	2	7	5	3	1	4	9
5	9	4	2	1	8	7	6	3

163

2	4	5	1	7	6	9	8	3
8	6	3	4	5	9	2	1	7
9	1	7	2	3	8	4	5	6
6	7	8	9	4	3	5	2	1
3	9	2	5	6	1	7	4	8
4	5	1	8	2	7	3	6	9
5	8	6	3	9	2	1	7	4
1	2	9	7	8	4	6	3	5
7	3	4	6	1	5	8	9	2

164

5	4	1	6	7	3	9	8	2
7	9	6	8	2	4	1	5	3
3	2	8	9	1	5	6	7	4
1	8	3	4	5	9	7	2	6
9	7	2	1	8	6	4	3	5
4	6	5	7	3	2	8	9	1
2	1	4	5	9	7	3	6	8
6	5	9	3	4	8	2	1	7
8	3	7	2	6	1	5	4	9

165

4	3	8	2	5	6	9	1	7
7	6	1	3	9	4	5	2	8
2	9	5	8	7	1	6	3	4
5	7	9	6	2	3	8	4	1
8	2	6	1	4	5	7	9	3
3	1	4	9	8	7	2	6	5
1	8	3	7	6	2	4	5	9
9	4	2	5	1	8	3	7	6
6	5	7	4	3	9	1	8	2

166

8	5	1	9	7	2	3	4	6
6	3	2	8	4	1	9	7	5
4	9	7	5	3	6	1	8	2
2	6	5	3	9	4	7	1	8
1	8	9	6	2	7	5	3	4
7	4	3	1	5	8	6	2	9
9	7	6	4	8	3	2	5	1
5	2	4	7	1	9	8	6	3
3	1	8	2	6	5	4	9	7

167

7	9	8	5	1	4	2	3	6
3	6	2	9	8	7	1	4	5
4	5	1	6	2	3	8	7	9
2	4	6	3	9	8	5	1	7
8	3	9	7	5	1	6	2	4
1	7	5	4	6	2	9	8	3
6	1	4	2	3	9	7	5	8
5	8	7	1	4	6	3	9	2
9	2	3	8	7	5	4	6	1

168

2	1	7	3	9	6	5	4	8
3	4	6	5	2	8	7	1	9
5	9	8	4	1	7	2	3	6
9	6	3	7	8	4	1	5	2
1	8	2	9	3	5	4	6	7
4	7	5	2	6	1	8	9	3
8	5	4	6	7	9	3	2	1
7	3	9	1	4	2	6	8	5
6	2	1	8	5	3	9	7	4

169

3	1	5	7	4	2	8	9	6
7	6	8	3	5	9	4	2	1
9	4	2	8	1	6	7	5	3
2	7	3	6	9	8	5	1	4
1	5	9	4	7	3	2	6	8
6	8	4	1	2	5	9	3	7
5	3	6	2	8	4	1	7	9
8	9	7	5	6	1	3	4	2
4	2	1	9	3	7	6	8	5

170

3	6	2	1	7	8	4	5	9
4	1	9	2	5	6	3	7	8
8	5	7	4	9	3	2	6	1
2	7	5	9	6	4	8	1	3
9	8	1	3	2	7	6	4	5
6	3	4	8	1	5	9	2	7
5	4	8	7	3	2	1	9	6
7	9	3	6	4	1	5	8	2
1	2	6	5	8	9	7	3	4

171

2	1	7	4	9	5	8	6	3
5	6	4	2	3	8	7	1	9
3	8	9	1	7	6	5	2	4
9	5	2	8	4	7	6	3	1
6	3	1	5	2	9	4	8	7
7	4	8	6	1	3	2	9	5
4	9	6	3	5	2	1	7	8
1	2	3	7	8	4	9	5	6
8	7	5	9	6	1	3	4	2

172

5	7	4	3	2	6	8	1	9
3	2	9	4	8	1	7	6	5
8	1	6	7	5	9	3	2	4
9	6	3	8	1	4	5	7	2
1	4	8	2	7	5	6	9	3
2	5	7	9	6	3	4	8	1
6	3	2	5	9	7	1	4	8
7	8	5	1	4	2	9	3	6
4	9	1	6	3	8	2	5	7

173

4	5	8	3	7	6	9	1	2
2	1	6	9	4	8	5	7	3
7	9	3	5	1	2	4	6	8
9	8	1	6	3	4	7	2	5
5	3	4	2	9	7	1	8	6
6	2	7	8	5	1	3	4	9
3	7	2	4	6	9	8	5	1
8	4	9	1	2	5	6	3	7
1	6	5	7	8	3	2	9	4

174

1	8	3	9	5	6	4	2	7
2	5	9	1	7	4	8	3	6
4	7	6	3	8	2	9	1	5
3	9	8	4	1	5	6	7	2
7	1	2	8	6	9	3	5	4
6	4	5	2	3	7	1	8	9
9	2	1	5	4	3	7	6	8
8	6	4	7	2	1	5	9	3
5	3	7	6	9	8	2	4	1

175

9	5	6	2	1	3	7	8	4
4	7	8	9	5	6	3	1	2
3	1	2	7	4	8	6	5	9
7	8	4	1	9	2	5	6	3
1	3	5	8	6	4	2	9	7
2	6	9	5	3	7	1	4	8
6	2	1	3	8	9	4	7	5
5	9	7	4	2	1	8	3	6
8	4	3	6	7	5	9	2	1

176

1	2	3	8	7	6	9	5	4
6	9	4	1	5	3	2	8	7
5	7	8	2	9	4	3	6	1
2	6	9	3	1	7	8	4	5
8	4	5	6	2	9	1	7	3
7	3	1	4	8	5	6	2	9
9	1	7	5	6	2	4	3	8
4	5	2	9	3	8	7	1	6
3	8	6	7	4	1	5	9	2

177

3	9	1	8	4	6	2	7	5
8	5	6	3	7	2	4	9	1
4	2	7	9	5	1	8	3	6
5	7	9	6	2	8	3	1	4
1	4	8	7	3	9	5	6	2
6	3	2	4	1	5	9	8	7
9	8	5	2	6	7	1	4	3
2	6	4	1	9	3	7	5	8
7	1	3	5	8	4	6	2	9

178

3	6	9	2	5	8	7	4	1
8	5	4	9	1	7	6	2	3
2	1	7	3	4	6	9	5	8
9	3	6	1	7	2	5	8	4
5	4	8	6	3	9	2	1	7
7	2	1	5	8	4	3	6	9
1	9	5	4	6	3	8	7	2
6	8	3	7	2	1	4	9	5
4	7	2	8	9	5	1	3	6

179

8	6	2	9	3	7	5	4	1
3	7	5	1	4	8	9	6	2
9	4	1	5	2	6	3	8	7
6	1	9	3	5	2	4	7	8
2	3	8	6	7	4	1	9	5
7	5	4	8	1	9	6	2	3
5	2	7	4	6	3	8	1	9
4	9	3	2	8	1	7	5	6
1	8	6	7	9	5	2	3	4

180

8	4	7	2	3	5	6	9	1
9	3	5	1	6	7	2	8	4
6	1	2	4	8	9	3	7	5
2	5	9	6	1	4	7	3	8
1	8	4	7	2	3	5	6	9
3	7	6	5	9	8	1	4	2
7	9	1	8	5	6	4	2	3
4	2	3	9	7	1	8	5	6
5	6	8	3	4	2	9	1	7

181

8	1	3	7	6	5	9	4	2
2	5	6	9	4	1	3	7	8
9	4	7	2	3	8	1	5	6
4	9	2	5	1	7	6	8	3
1	3	5	6	8	2	7	9	4
6	7	8	4	9	3	2	1	5
3	6	4	1	5	9	8	2	7
5	2	1	8	7	6	4	3	9
7	8	9	3	2	4	5	6	1

182

9	7	6	8	2	4	3	1	5
5	1	8	6	7	3	2	9	4
3	2	4	5	1	9	6	8	7
4	6	1	9	3	7	8	5	2
8	3	9	2	5	1	4	7	6
2	5	7	4	6	8	9	3	1
1	4	5	3	9	2	7	6	8
7	9	2	1	8	6	5	4	3
6	8	3	7	4	5	1	2	9

183

5	7	3	9	2	1	6	8	4
6	1	4	3	8	7	5	2	9
9	2	8	4	5	6	7	1	3
4	8	7	2	3	5	1	9	6
1	3	9	6	7	8	2	4	5
2	6	5	1	4	9	8	3	7
3	4	6	5	1	2	9	7	8
8	9	1	7	6	4	3	5	2
7	5	2	8	9	3	4	6	1

184

3	6	1	8	4	7	2	5	9
7	2	8	5	9	6	3	4	1
4	5	9	2	3	1	8	7	6
8	7	3	4	1	9	6	2	5
9	4	6	3	2	5	1	8	7
2	1	5	7	6	8	9	3	4
1	3	4	6	5	2	7	9	8
6	8	2	9	7	4	5	1	3
5	9	7	1	8	3	4	6	2

185

4	8	6	5	7	3	9	2	1
1	2	9	6	4	8	7	3	5
3	5	7	2	9	1	8	6	4
5	9	2	3	1	7	6	4	8
8	3	1	4	2	6	5	9	7
6	7	4	8	5	9	2	1	3
2	6	5	7	3	4	1	8	9
9	4	8	1	6	5	3	7	2
7	1	3	9	8	2	4	5	6

186

5	9	4	7	2	8	6	1	3
8	3	2	6	1	9	7	4	5
1	7	6	3	5	4	2	8	9
3	8	7	9	6	1	4	5	2
6	1	9	5	4	2	3	7	8
2	4	5	8	7	3	1	9	6
7	2	8	4	3	5	9	6	1
4	5	1	2	9	6	8	3	7
9	6	3	1	8	7	5	2	4

187

4	6	9	1	7	5	8	3	2
5	3	2	8	6	9	7	4	1
7	1	8	4	3	2	9	5	6
9	8	1	2	5	3	6	7	4
3	5	6	7	8	4	2	1	9
2	4	7	9	1	6	3	8	5
1	2	3	5	9	8	4	6	7
6	7	4	3	2	1	5	9	8
8	9	5	6	4	7	1	2	3

188

5	6	7	2	1	3	8	4	9
4	1	8	9	6	5	3	7	2
9	2	3	4	8	7	6	1	5
2	5	6	8	7	1	9	3	4
3	4	1	6	2	9	5	8	7
8	7	9	3	5	4	1	2	6
1	8	2	5	4	6	7	9	3
7	9	5	1	3	2	4	6	8
6	3	4	7	9	8	2	5	1

189

3	4	7	1	5	2	9	8	6
8	6	5	4	9	3	2	7	1
2	1	9	6	7	8	3	4	5
1	2	8	7	3	4	6	5	9
7	5	4	9	2	6	1	3	8
9	3	6	5	8	1	4	2	7
4	9	2	8	6	5	7	1	3
6	8	3	2	1	7	5	9	4
5	7	1	3	4	9	8	6	2

190

2	9	6	8	7	4	5	3	1
8	7	3	1	2	5	4	9	6
5	4	1	6	3	9	2	8	7
4	6	2	5	8	1	3	7	9
3	1	8	9	4	7	6	2	5
9	5	7	3	6	2	1	4	8
6	2	4	7	1	8	9	5	3
1	8	9	2	5	3	7	6	4
7	3	5	4	9	6	8	1	2

191

5	3	9	7	6	2	1	4	8
8	6	2	4	5	1	7	9	3
7	1	4	8	3	9	5	2	6
6	5	1	9	4	3	2	8	7
3	4	8	2	7	6	9	1	5
2	9	7	5	1	8	6	3	4
1	7	6	3	2	4	8	5	9
4	8	5	1	9	7	3	6	2
9	2	3	6	8	5	4	7	1

192

2	8	9	6	4	7	1	5	3
5	1	7	9	2	3	4	6	8
6	3	4	8	5	1	7	9	2
1	5	3	7	8	4	6	2	9
7	4	6	2	3	9	5	8	1
9	2	8	1	6	5	3	7	4
3	7	2	4	9	6	8	1	5
4	9	1	5	7	8	2	3	6
8	6	5	3	1	2	9	4	7

193

5	4	2	1	3	6	9	7	8
3	9	1	7	8	5	4	2	6
7	6	8	2	4	9	5	3	1
2	1	5	8	6	7	3	4	9
6	8	9	3	5	4	2	1	7
4	3	7	9	2	1	8	6	5
8	7	3	6	9	2	1	5	4
9	5	6	4	1	3	7	8	2
1	2	4	5	7	8	6	9	3

194

6	5	7	8	1	4	3	9	2
1	3	9	2	6	7	5	4	8
2	8	4	3	5	9	7	1	6
7	2	3	5	4	6	9	8	1
9	6	5	1	8	3	2	7	4
4	1	8	7	9	2	6	5	3
8	7	1	6	2	5	4	3	9
3	9	2	4	7	1	8	6	5
5	4	6	9	3	8	1	2	7

195

3	7	5	1	8	6	2	4	9
1	8	4	9	2	5	7	3	6
2	6	9	7	4	3	5	1	8
5	4	6	8	1	7	3	9	2
7	3	2	6	9	4	8	5	1
8	9	1	5	3	2	6	7	4
4	2	8	3	7	1	9	6	5
9	5	3	4	6	8	1	2	7
6	1	7	2	5	9	4	8	3

196

5	4	7	3	9	2	1	8	6
9	3	2	8	1	6	7	5	4
6	8	1	5	7	4	3	2	9
4	6	8	2	5	1	9	7	3
7	1	5	9	8	3	6	4	2
2	9	3	4	6	7	8	1	5
3	5	9	1	2	8	4	6	7
1	2	6	7	4	9	5	3	8
8	7	4	6	3	5	2	9	1

197

2	7	6	3	9	4	8	5	1
9	8	3	7	1	5	6	2	4
1	4	5	8	6	2	3	9	7
7	2	8	4	3	9	5	1	6
3	9	4	1	5	6	7	8	2
6	5	1	2	8	7	9	4	3
4	3	7	9	2	8	1	6	5
8	6	2	5	7	1	4	3	9
5	1	9	6	4	3	2	7	8

198

4	2	5	9	6	7	1	8	3
8	3	6	4	5	1	7	9	2
9	7	1	8	2	3	5	6	4
7	6	9	1	8	4	3	2	5
2	5	8	3	7	6	9	4	1
3	1	4	5	9	2	6	7	8
6	4	7	2	1	5	8	3	9
1	8	3	6	4	9	2	5	7
5	9	2	7	3	8	4	1	6

199

3	6	1	2	8	4	7	5	9
8	4	9	3	5	7	6	1	2
5	7	2	6	9	1	4	8	3
6	5	8	9	1	3	2	7	4
9	1	7	4	2	8	3	6	5
2	3	4	7	6	5	1	9	8
4	8	5	1	7	2	9	3	6
7	9	3	5	4	6	8	2	1
1	2	6	8	3	9	5	4	7

200

7	2	8	3	1	6	5	4	9
4	9	3	8	5	2	1	7	6
6	5	1	4	7	9	3	8	2
9	8	5	7	2	1	6	3	4
3	6	2	5	8	4	9	1	7
1	7	4	6	9	3	2	5	8
2	4	9	1	3	7	8	6	5
5	3	6	9	4	8	7	2	1
8	1	7	2	6	5	4	9	3

201

1	7	2	6	3	9	4	8	5
5	4	9	2	7	8	1	6	3
3	6	8	1	4	5	2	9	7
2	3	6	7	1	4	8	5	9
8	1	4	5	9	3	6	7	2
9	5	7	8	2	6	3	1	4
6	2	5	3	8	7	9	4	1
7	9	3	4	6	1	5	2	8
4	8	1	9	5	2	7	3	6

202

2	6	8	5	7	1	4	3	9
9	1	5	3	6	4	8	7	2
3	4	7	9	2	8	1	5	6
6	3	1	7	4	2	5	9	8
4	8	9	6	3	5	7	2	1
5	7	2	8	1	9	3	6	4
7	2	3	4	8	6	9	1	5
8	9	6	1	5	3	2	4	7
1	5	4	2	9	7	6	8	3

203

9	2	1	8	6	5	7	4	3
5	4	3	1	7	9	6	8	2
6	7	8	3	2	4	5	1	9
2	3	5	7	8	6	1	9	4
8	1	7	4	9	2	3	5	6
4	6	9	5	1	3	8	2	7
3	9	6	2	5	1	4	7	8
1	8	4	9	3	7	2	6	5
7	5	2	6	4	8	9	3	1

204

4	8	7	9	6	1	2	3	5
1	9	2	8	3	5	7	4	6
6	3	5	7	4	2	1	9	8
8	2	3	5	7	9	4	6	1
5	6	9	2	1	4	8	7	3
7	4	1	6	8	3	5	2	9
2	7	8	1	9	6	3	5	4
3	1	6	4	5	7	9	8	2
9	5	4	3	2	8	6	1	7

205

1	8	2	7	3	9	4	6	5
9	5	4	6	1	8	2	7	3
6	3	7	2	4	5	8	9	1
8	1	5	4	9	2	6	3	7
7	9	3	8	6	1	5	4	2
4	2	6	3	5	7	9	1	8
2	4	8	1	7	6	3	5	9
5	6	1	9	2	3	7	8	4
3	7	9	5	8	4	1	2	6

206

3	1	5	4	2	6	7	8	9
9	6	7	1	5	8	4	3	2
4	2	8	7	9	3	6	1	5
5	3	2	8	1	7	9	4	6
7	9	4	6	3	5	8	2	1
6	8	1	9	4	2	3	5	7
8	5	9	3	6	1	2	7	4
1	4	3	2	7	9	5	6	8
2	7	6	5	8	4	1	9	3

207

3	9	8	5	4	7	6	1	2
6	7	5	2	9	1	4	3	8
1	2	4	8	6	3	9	7	5
4	6	1	7	5	9	2	8	3
2	5	3	1	8	4	7	6	9
9	8	7	3	2	6	1	5	4
8	1	2	4	7	5	3	9	6
5	3	9	6	1	2	8	4	7
7	4	6	9	3	8	5	2	1

208

2	8	1	3	4	7	5	6	9
4	6	3	9	5	2	7	1	8
5	7	9	6	1	8	2	4	3
1	4	7	8	2	5	9	3	6
3	9	5	7	6	1	4	8	2
6	2	8	4	3	9	1	7	5
8	5	4	1	9	6	3	2	7
7	3	2	5	8	4	6	9	1
9	1	6	2	7	3	8	5	4

209

1	4	8	9	2	5	6	3	7
9	7	2	6	3	4	8	1	5
5	3	6	1	7	8	4	2	9
3	6	7	4	9	2	5	8	1
4	2	9	5	8	1	3	7	6
8	1	5	7	6	3	9	4	2
6	9	4	8	1	7	2	5	3
2	8	1	3	5	6	7	9	4
7	5	3	2	4	9	1	6	8

210

1	6	3	4	7	9	2	8	5
9	7	8	5	1	2	4	6	3
4	2	5	3	8	6	9	7	1
2	5	1	9	4	8	6	3	7
7	9	6	2	3	5	8	1	4
8	3	4	7	6	1	5	9	2
6	4	9	1	5	7	3	2	8
5	1	2	8	9	3	7	4	6
3	8	7	6	2	4	1	5	9

211

4	7	6	5	1	9	3	8	2
9	2	5	3	6	8	7	4	1
1	3	8	7	2	4	5	9	6
5	6	4	2	8	7	9	1	3
7	8	9	1	4	3	2	6	5
3	1	2	6	9	5	4	7	8
8	4	3	9	5	1	6	2	7
6	9	7	8	3	2	1	5	4
2	5	1	4	7	6	8	3	9

212

6	1	8	7	4	3	5	2	9
2	4	5	8	9	6	3	1	7
3	9	7	5	1	2	4	6	8
8	3	6	4	2	5	9	7	1
4	5	9	1	6	7	2	8	3
1	7	2	9	3	8	6	5	4
7	2	3	6	8	4	1	9	5
9	8	4	2	5	1	7	3	6
5	6	1	3	7	9	8	4	2

213

6	2	8	5	7	1	4	9	3
3	1	9	8	4	2	5	7	6
5	7	4	6	9	3	1	2	8
8	9	3	7	1	4	2	6	5
2	4	5	9	8	6	7	3	1
7	6	1	2	3	5	8	4	9
1	3	6	4	2	8	9	5	7
9	5	2	1	6	7	3	8	4
4	8	7	3	5	9	6	1	2

214

8	7	1	2	4	6	3	5	9
4	3	6	7	5	9	2	1	8
2	5	9	8	1	3	7	6	4
9	4	5	3	8	1	6	7	2
7	6	2	5	9	4	1	8	3
1	8	3	6	2	7	9	4	5
6	2	7	4	3	8	5	9	1
3	1	8	9	7	5	4	2	6
5	9	4	1	6	2	8	3	7

215

1	3	6	2	5	7	4	8	9
4	8	7	3	1	9	2	5	6
5	9	2	4	6	8	7	3	1
8	7	4	9	2	5	1	6	3
6	1	3	7	8	4	9	2	5
9	2	5	6	3	1	8	7	4
7	5	1	8	4	6	3	9	2
2	6	9	1	7	3	5	4	8
3	4	8	5	9	2	6	1	7

216

5	8	4	6	7	3	9	2	1
2	1	9	8	4	5	7	3	6
3	6	7	1	9	2	4	5	8
8	7	3	9	2	6	5	1	4
6	9	2	4	5	1	3	8	7
1	4	5	7	3	8	2	6	9
9	5	1	3	8	4	6	7	2
7	2	6	5	1	9	8	4	3
4	3	8	2	6	7	1	9	5

217

4	5	7	3	1	9	6	2	8
2	9	6	8	7	4	3	1	5
8	3	1	6	2	5	9	4	7
6	8	4	2	5	1	7	3	9
1	7	5	9	8	3	2	6	4
3	2	9	4	6	7	8	5	1
9	1	8	5	3	2	4	7	6
7	4	2	1	9	6	5	8	3
5	6	3	7	4	8	1	9	2

218

9	6	4	3	2	7	5	8	1
5	8	7	6	9	1	3	2	4
2	1	3	5	4	8	7	6	9
1	3	2	4	6	9	8	7	5
4	9	6	7	8	5	1	3	2
8	7	5	1	3	2	9	4	6
7	2	9	8	5	4	6	1	3
3	4	1	9	7	6	2	5	8
6	5	8	2	1	3	4	9	7

219

7	6	1	4	5	3	2	9	8
5	2	8	6	7	9	4	1	3
9	3	4	2	8	1	6	5	7
8	7	2	1	3	5	9	4	6
6	9	5	7	4	2	8	3	1
1	4	3	8	9	6	7	2	5
3	5	7	9	6	4	1	8	2
4	1	6	5	2	8	3	7	9
2	8	9	3	1	7	5	6	4

220

6	1	7	4	8	9	5	2	3
8	5	4	2	3	6	1	7	9
2	9	3	7	1	5	6	8	4
9	8	6	5	7	2	3	4	1
4	7	2	3	9	1	8	5	6
5	3	1	8	6	4	2	9	7
1	2	9	6	5	7	4	3	8
3	6	5	9	4	8	7	1	2
7	4	8	1	2	3	9	6	5

221

8	1	5	3	9	2	6	4	7
7	9	4	5	1	6	8	2	3
3	6	2	8	7	4	5	9	1
2	3	9	4	5	1	7	8	6
4	5	1	7	6	8	9	3	2
6	8	7	9	2	3	1	5	4
1	7	8	2	4	5	3	6	9
9	4	3	6	8	7	2	1	5
5	2	6	1	3	9	4	7	8

222

7	5	4	9	1	2	8	3	6
1	8	2	5	6	3	4	7	9
9	6	3	7	4	8	2	1	5
4	3	9	8	7	5	1	6	2
8	1	6	2	3	4	5	9	7
5	2	7	6	9	1	3	8	4
6	4	5	1	8	7	9	2	3
2	7	8	3	5	9	6	4	1
3	9	1	4	2	6	7	5	8

223

9	6	3	1	8	4	7	2	5
4	8	2	7	9	5	6	3	1
1	5	7	2	6	3	4	8	9
2	7	9	8	3	6	1	5	4
5	3	6	9	4	1	8	7	2
8	1	4	5	2	7	9	6	3
7	2	8	4	5	9	3	1	6
3	4	5	6	1	8	2	9	7
6	9	1	3	7	2	5	4	8

224

2	3	6	9	7	4	8	1	5
5	9	7	1	2	8	3	4	6
1	8	4	3	6	5	2	7	9
7	2	8	5	4	6	1	9	3
6	1	9	8	3	2	7	5	4
3	4	5	7	9	1	6	2	8
8	5	3	2	1	9	4	6	7
4	7	2	6	5	3	9	8	1
9	6	1	4	8	7	5	3	2

225

1	8	2	7	3	9	4	6	5
5	7	3	4	2	6	1	8	9
4	9	6	1	5	8	3	7	2
7	3	9	2	6	1	8	5	4
8	5	1	3	9	4	6	2	7
6	2	4	5	8	7	9	1	3
3	4	7	8	1	5	2	9	6
9	1	5	6	4	2	7	3	8
2	6	8	9	7	3	5	4	1

226

5	7	9	1	2	4	3	6	8
1	6	4	3	5	8	9	2	7
3	8	2	9	6	7	1	5	4
6	1	5	2	7	9	8	4	3
4	3	7	6	8	1	5	9	2
2	9	8	5	4	3	7	1	6
9	5	6	8	3	2	4	7	1
8	4	1	7	9	6	2	3	5
7	2	3	4	1	5	6	8	9

227

9	1	2	5	7	4	3	6	8
4	5	3	8	9	6	1	7	2
7	8	6	1	2	3	9	5	4
3	2	4	6	1	9	5	8	7
6	9	8	7	4	5	2	3	1
5	7	1	3	8	2	6	4	9
8	4	5	9	3	1	7	2	6
1	6	7	2	5	8	4	9	3
2	3	9	4	6	7	8	1	5

228

5	4	2	1	6	9	7	3	8
9	8	7	3	4	5	1	2	6
6	1	3	8	7	2	4	9	5
8	7	6	4	5	3	2	1	9
2	9	1	6	8	7	5	4	3
4	3	5	2	9	1	6	8	7
3	5	4	7	2	8	9	6	1
1	2	9	5	3	6	8	7	4
7	6	8	9	1	4	3	5	2

229

2	4	6	3	7	1	8	9	5
1	7	9	2	5	8	4	3	6
5	8	3	6	4	9	1	7	2
9	1	7	4	8	6	2	5	3
8	2	5	1	3	7	9	6	4
3	6	4	5	9	2	7	1	8
7	3	2	8	1	5	6	4	9
4	9	8	7	6	3	5	2	1
6	5	1	9	2	4	3	8	7

230

2	5	3	9	6	1	4	8	7
1	6	9	7	8	4	2	5	3
4	8	7	3	5	2	1	6	9
3	4	8	5	2	9	7	1	6
7	1	6	8	4	3	9	2	5
9	2	5	6	1	7	3	4	8
6	9	2	1	7	8	5	3	4
8	7	1	4	3	5	6	9	2
5	3	4	2	9	6	8	7	1

231

4	8	7	3	1	5	9	2	6
9	3	5	2	7	6	4	8	1
1	2	6	4	8	9	3	7	5
3	5	1	7	9	4	2	6	8
8	4	2	5	6	3	7	1	9
7	6	9	1	2	8	5	4	3
6	7	8	9	3	2	1	5	4
2	9	4	8	5	1	6	3	7
5	1	3	6	4	7	8	9	2

232

1	2	9	3	7	4	6	5	8
7	3	4	8	5	6	9	2	1
6	5	8	9	2	1	3	4	7
8	9	2	6	1	5	7	3	4
4	1	6	7	9	3	2	8	5
3	7	5	4	8	2	1	9	6
9	8	3	5	6	7	4	1	2
5	6	1	2	4	9	8	7	3
2	4	7	1	3	8	5	6	9

233

1	3	9	2	6	4	8	7	5
7	5	8	9	1	3	2	4	6
6	2	4	7	8	5	9	3	1
3	9	2	1	4	7	5	6	8
4	1	6	5	3	8	7	2	9
5	8	7	6	9	2	4	1	3
2	6	3	4	5	9	1	8	7
9	7	1	8	2	6	3	5	4
8	4	5	3	7	1	6	9	2

234

7	3	4	2	5	8	6	9	1
9	5	8	1	6	7	3	2	4
6	2	1	4	3	9	7	8	5
5	9	6	3	4	1	2	7	8
3	8	7	9	2	5	4	1	6
1	4	2	8	7	6	5	3	9
8	6	3	7	9	4	1	5	2
2	1	5	6	8	3	9	4	7
4	7	9	5	1	2	8	6	3

235

9	3	5	2	8	7	6	4	1
4	7	8	5	6	1	2	9	3
2	6	1	4	9	3	7	5	8
7	5	3	1	2	6	4	8	9
6	4	2	9	5	8	1	3	7
8	1	9	7	3	4	5	6	2
1	8	6	3	4	2	9	7	5
5	2	4	8	7	9	3	1	6
3	9	7	6	1	5	8	2	4

236

3	2	1	4	8	9	7	5	6
8	9	6	7	3	5	4	1	2
7	4	5	6	1	2	9	8	3
4	5	7	8	2	1	3	6	9
2	1	9	3	7	6	8	4	5
6	8	3	9	5	4	2	7	1
1	7	8	5	9	3	6	2	4
5	3	4	2	6	7	1	9	8
9	6	2	1	4	8	5	3	7

237

7	1	3	5	6	4	2	9	8
9	5	4	8	2	7	1	3	6
8	2	6	9	3	1	7	5	4
1	8	9	4	7	5	6	2	3
6	7	2	3	9	8	4	1	5
4	3	5	6	1	2	8	7	9
3	6	1	7	8	9	5	4	2
5	9	7	2	4	6	3	8	1
2	4	8	1	5	3	9	6	7

238

1	4	3	9	6	2	5	8	7
5	2	9	4	8	7	6	3	1
6	8	7	3	1	5	9	2	4
3	1	5	6	4	8	7	9	2
8	9	6	7	2	1	3	4	5
4	7	2	5	3	9	8	1	6
7	3	4	2	9	6	1	5	8
2	6	1	8	5	3	4	7	9
9	5	8	1	7	4	2	6	3

239

9	4	5	7	3	8	1	6	2
1	3	6	2	4	5	7	8	9
7	8	2	1	9	6	3	4	5
6	5	1	4	8	9	2	7	3
2	9	3	6	7	1	8	5	4
4	7	8	5	2	3	9	1	6
8	2	4	3	5	7	6	9	1
5	1	9	8	6	2	4	3	7
3	6	7	9	1	4	5	2	8

240

1	8	7	2	9	5	4	3	6
9	3	4	1	6	8	5	7	2
6	5	2	3	4	7	1	9	8
8	1	5	6	3	9	2	4	7
3	2	6	5	7	4	8	1	9
7	4	9	8	1	2	6	5	3
4	9	8	7	5	6	3	2	1
5	6	1	9	2	3	7	8	4
2	7	3	4	8	1	9	6	5

241

1	7	4	8	9	6	5	2	3
2	8	6	5	3	4	1	7	9
9	3	5	2	7	1	4	8	6
8	4	1	9	2	7	6	3	5
7	5	2	4	6	3	8	9	1
6	9	3	1	5	8	7	4	2
4	2	8	3	1	5	9	6	7
3	1	7	6	8	9	2	5	4
5	6	9	7	4	2	3	1	8

242

6	4	9	2	8	3	1	5	7
1	3	8	6	5	7	2	4	9
2	5	7	4	9	1	8	6	3
7	6	2	1	4	9	5	3	8
9	1	4	8	3	5	7	2	6
3	8	5	7	6	2	4	9	1
8	9	3	5	1	4	6	7	2
4	2	1	9	7	6	3	8	5
5	7	6	3	2	8	9	1	4

243

9	7	6	4	2	5	8	1	3
4	3	2	6	1	8	9	5	7
1	5	8	7	3	9	4	2	6
2	8	3	1	9	7	6	4	5
7	6	9	5	4	2	3	8	1
5	1	4	8	6	3	2	7	9
6	2	5	3	8	1	7	9	4
8	4	7	9	5	6	1	3	2
3	9	1	2	7	4	5	6	8

244

3	1	2	6	4	7	9	8	5
7	8	6	9	5	3	2	4	1
9	4	5	1	2	8	3	6	7
4	3	7	5	9	2	6	1	8
5	6	9	8	1	4	7	3	2
1	2	8	7	3	6	5	9	4
8	5	4	3	7	9	1	2	6
2	7	3	4	6	1	8	5	9
6	9	1	2	8	5	4	7	3

245

1	7	4	5	3	2	9	6	8
3	5	6	4	8	9	1	7	2
8	2	9	6	1	7	5	3	4
9	1	3	2	7	5	8	4	6
6	4	2	8	9	3	7	5	1
7	8	5	1	6	4	3	2	9
4	3	1	7	2	8	6	9	5
5	9	8	3	4	6	2	1	7
2	6	7	9	5	1	4	8	3

246

3	7	5	9	2	6	1	8	4
6	4	8	3	1	7	5	2	9
2	1	9	4	8	5	3	6	7
1	8	7	2	9	3	4	5	6
5	2	6	7	4	1	8	9	3
9	3	4	5	6	8	2	7	1
8	6	2	1	3	9	7	4	5
7	9	3	8	5	4	6	1	2
4	5	1	6	7	2	9	3	8

247

5	1	9	7	8	2	3	6	4
2	8	4	5	6	3	7	9	1
7	6	3	4	1	9	8	5	2
9	4	6	3	2	7	1	8	5
1	2	7	8	5	4	9	3	6
8	3	5	1	9	6	2	4	7
6	5	2	9	7	8	4	1	3
3	9	1	2	4	5	6	7	8
4	7	8	6	3	1	5	2	9

248

7	6	8	2	5	1	4	3	9
4	3	9	8	7	6	2	1	5
5	2	1	9	3	4	8	6	7
9	4	3	1	6	5	7	2	8
2	5	7	3	8	9	1	4	6
8	1	6	4	2	7	5	9	3
1	8	5	6	9	2	3	7	4
6	7	4	5	1	3	9	8	2
3	9	2	7	4	8	6	5	1

249

3	7	8	4	5	6	2	1	9
6	2	4	3	1	9	8	5	7
5	1	9	7	8	2	4	3	6
7	4	6	8	2	5	1	9	3
9	3	2	1	4	7	6	8	5
8	5	1	6	9	3	7	2	4
2	6	7	9	3	8	5	4	1
1	8	3	5	6	4	9	7	2
4	9	5	2	7	1	3	6	8

250

4	1	8	7	6	5	2	9	3
2	3	6	1	9	8	4	5	7
9	5	7	3	2	4	8	6	1
1	8	5	9	3	2	6	7	4
7	4	2	5	8	6	3	1	9
3	6	9	4	1	7	5	2	8
8	7	1	2	5	3	9	4	6
6	2	4	8	7	9	1	3	5
5	9	3	6	4	1	7	8	2

251

3	9	2	4	8	1	7	6	5
1	7	4	6	5	9	3	8	2
8	6	5	7	3	2	4	1	9
4	1	3	8	2	5	9	7	6
5	8	9	3	7	6	2	4	1
7	2	6	1	9	4	5	3	8
2	3	8	9	6	7	1	5	4
9	4	7	5	1	8	6	2	3
6	5	1	2	4	3	8	9	7

252

8	2	1	3	7	5	6	4	9
4	9	7	8	6	1	5	2	3
3	6	5	9	4	2	8	1	7
1	8	6	5	2	9	3	7	4
7	4	9	6	1	3	2	5	8
5	3	2	7	8	4	9	6	1
9	7	4	2	3	6	1	8	5
2	5	8	1	9	7	4	3	6
6	1	3	4	5	8	7	9	2

253

9	7	8	6	2	5	3	1	4
2	1	3	7	4	9	6	8	5
4	5	6	8	1	3	9	2	7
7	8	4	1	6	2	5	9	3
3	2	5	4	9	8	1	7	6
6	9	1	3	5	7	2	4	8
1	4	7	2	3	6	8	5	9
5	3	2	9	8	4	7	6	1
8	6	9	5	7	1	4	3	2

254

2	6	4	9	3	7	1	5	8
3	5	9	6	8	1	4	2	7
8	7	1	4	2	5	3	9	6
4	8	3	2	6	9	7	1	5
6	1	2	7	5	8	9	3	4
5	9	7	1	4	3	8	6	2
1	4	8	5	9	6	2	7	3
7	3	6	8	1	2	5	4	9
9	2	5	3	7	4	6	8	1

255

3	6	2	5	7	9	8	1	4
5	1	9	8	3	4	2	6	7
8	4	7	2	6	1	5	3	9
4	3	5	6	8	7	9	2	1
2	8	1	9	4	3	7	5	6
7	9	6	1	5	2	4	8	3
6	7	4	3	2	8	1	9	5
1	2	3	4	9	5	6	7	8
9	5	8	7	1	6	3	4	2

256

9	3	7	1	5	4	6	8	2
4	6	1	9	2	8	5	3	7
2	8	5	6	7	3	4	1	9
7	9	4	5	8	2	1	6	3
6	1	8	7	3	9	2	4	5
3	5	2	4	1	6	7	9	8
5	4	9	3	6	7	8	2	1
8	7	6	2	9	1	3	5	4
1	2	3	8	4	5	9	7	6

257

4	3	1	6	7	8	9	2	5
8	9	2	5	3	4	6	1	7
5	6	7	2	1	9	4	8	3
1	7	8	9	4	2	3	5	6
2	4	6	3	5	1	7	9	8
9	5	3	8	6	7	2	4	1
7	1	5	4	9	6	8	3	2
3	8	9	7	2	5	1	6	4
6	2	4	1	8	3	5	7	9

258

3	7	6	4	2	8	1	5	9
4	1	8	6	9	5	2	3	7
2	9	5	1	7	3	6	8	4
1	8	2	9	6	4	3	7	5
9	6	3	5	1	7	4	2	8
5	4	7	8	3	2	9	6	1
7	5	1	2	4	6	8	9	3
6	3	9	7	8	1	5	4	2
8	2	4	3	5	9	7	1	6

259

2	5	7	4	8	9	6	1	3
9	8	1	3	6	7	2	4	5
3	6	4	2	5	1	7	8	9
5	3	8	6	4	2	9	7	1
6	4	9	1	7	8	5	3	2
1	7	2	9	3	5	4	6	8
7	2	6	5	1	3	8	9	4
8	9	3	7	2	4	1	5	6
4	1	5	8	9	6	3	2	7

260

6	1	5	8	3	9	4	7	2
2	8	7	1	4	5	3	6	9
4	3	9	2	6	7	8	1	5
3	2	1	7	5	8	9	4	6
5	9	4	6	1	2	7	3	8
7	6	8	3	9	4	5	2	1
1	7	3	5	8	6	2	9	4
9	5	2	4	7	1	6	8	3
8	4	6	9	2	3	1	5	7

261

7	3	8	5	4	6	1	9	2
9	6	2	8	7	1	3	5	4
5	4	1	3	9	2	7	8	6
8	5	9	7	1	4	6	2	3
6	2	4	9	3	5	8	7	1
3	1	7	2	6	8	5	4	9
1	9	5	4	8	3	2	6	7
2	7	3	6	5	9	4	1	8
4	8	6	1	2	7	9	3	5

262

8	4	1	5	7	6	2	9	3
7	2	3	9	1	8	4	6	5
6	9	5	3	4	2	7	8	1
4	3	8	1	9	5	6	7	2
9	5	6	2	3	7	1	4	8
1	7	2	8	6	4	5	3	9
3	1	4	7	5	9	8	2	6
5	8	7	6	2	3	9	1	4
2	6	9	4	8	1	3	5	7

263

2	7	6	5	9	3	1	4	8
9	8	4	6	7	1	5	2	3
5	3	1	4	2	8	9	6	7
4	5	2	8	1	7	3	9	6
7	6	9	2	3	5	8	1	4
8	1	3	9	4	6	2	7	5
3	2	8	7	6	9	4	5	1
1	9	7	3	5	4	6	8	2
6	4	5	1	8	2	7	3	9

264

9	3	5	7	8	6	4	1	2
2	4	6	1	9	3	8	5	7
8	7	1	5	4	2	3	6	9
6	1	3	9	2	4	5	7	8
7	2	9	8	6	5	1	3	4
4	5	8	3	7	1	2	9	6
3	9	7	4	5	8	6	2	1
5	6	4	2	1	9	7	8	3
1	8	2	6	3	7	9	4	5

265

5	9	1	2	6	8	4	7	3
7	3	8	9	4	1	2	6	5
4	6	2	3	7	5	8	1	9
2	7	4	6	1	9	3	5	8
6	8	5	7	3	2	1	9	4
9	1	3	5	8	4	6	2	7
8	5	9	1	2	3	7	4	6
1	4	6	8	5	7	9	3	2
3	2	7	4	9	6	5	8	1

266

8	7	1	9	2	4	6	5	3
5	9	4	6	3	1	2	7	8
2	3	6	7	8	5	9	1	4
9	2	7	4	5	6	8	3	1
1	4	8	3	7	2	5	6	9
3	6	5	8	1	9	7	4	2
4	8	3	2	6	7	1	9	5
6	5	9	1	4	8	3	2	7
7	1	2	5	9	3	4	8	6

267

1	4	9	3	8	5	7	6	2
2	5	3	6	7	4	1	8	9
8	6	7	9	1	2	5	4	3
3	9	5	2	4	8	6	7	1
7	2	4	1	9	6	3	5	8
6	8	1	7	5	3	2	9	4
4	3	2	5	6	9	8	1	7
9	1	6	8	3	7	4	2	5
5	7	8	4	2	1	9	3	6

268

9	2	8	4	1	7	5	6	3
3	7	5	2	9	6	1	8	4
4	1	6	8	5	3	9	7	2
5	8	1	3	4	9	7	2	6
2	9	4	6	7	5	8	3	1
6	3	7	1	8	2	4	5	9
7	4	2	5	3	1	6	9	8
8	5	3	9	6	4	2	1	7
1	6	9	7	2	8	3	4	5

269

7	6	3	5	8	9	1	4	2
5	8	4	3	2	1	6	7	9
1	2	9	4	7	6	8	5	3
3	9	7	6	4	5	2	8	1
8	4	6	1	9	2	7	3	5
2	1	5	7	3	8	4	9	6
4	7	1	2	5	3	9	6	8
9	5	2	8	6	4	3	1	7
6	3	8	9	1	7	5	2	4

270

9	1	3	5	8	7	6	2	4
2	4	5	1	3	6	9	7	8
8	7	6	4	2	9	3	5	1
1	2	9	3	5	8	4	6	7
7	6	8	9	4	2	1	3	5
5	3	4	7	6	1	2	8	9
6	5	2	8	9	4	7	1	3
4	8	1	2	7	3	5	9	6
3	9	7	6	1	5	8	4	2

271

6	4	8	2	9	3	5	1	7
9	2	1	5	8	7	3	6	4
7	5	3	4	6	1	2	9	8
2	6	4	7	3	9	8	5	1
5	8	7	6	1	2	4	3	9
1	3	9	8	4	5	6	7	2
4	9	5	3	7	8	1	2	6
3	1	6	9	2	4	7	8	5
8	7	2	1	5	6	9	4	3

272

1	6	9	8	5	7	3	4	2
7	2	5	4	6	3	9	8	1
3	8	4	1	2	9	6	7	5
5	7	2	3	1	6	8	9	4
6	9	8	5	4	2	1	3	7
4	1	3	7	9	8	2	5	6
9	4	7	6	8	1	5	2	3
8	3	6	2	7	5	4	1	9
2	5	1	9	3	4	7	6	8

273

3	2	6	7	5	1	4	9	8
8	1	4	6	9	3	7	2	5
7	5	9	4	8	2	6	3	1
2	8	1	3	4	9	5	7	6
9	7	5	1	2	6	3	8	4
6	4	3	8	7	5	9	1	2
5	9	7	2	6	8	1	4	3
4	3	2	5	1	7	8	6	9
1	6	8	9	3	4	2	5	7

274

6	8	2	4	5	9	3	7	1
1	3	4	8	7	2	6	9	5
5	7	9	3	6	1	8	4	2
9	2	8	5	1	7	4	6	3
7	4	6	2	3	8	1	5	9
3	5	1	9	4	6	7	2	8
2	6	3	7	8	5	9	1	4
4	1	5	6	9	3	2	8	7
8	9	7	1	2	4	5	3	6

275

2	1	4	7	6	5	3	9	8
5	6	9	4	3	8	2	1	7
7	8	3	1	2	9	4	6	5
4	9	7	3	1	6	5	8	2
1	5	2	8	4	7	6	3	9
8	3	6	9	5	2	1	7	4
9	2	5	6	7	1	8	4	3
3	7	1	2	8	4	9	5	6
6	4	8	5	9	3	7	2	1

276

1	5	6	2	7	4	8	9	3
7	2	9	3	8	6	5	4	1
8	4	3	5	1	9	6	2	7
6	3	5	9	4	7	1	8	2
4	9	1	8	2	5	3	7	6
2	8	7	1	6	3	4	5	9
3	7	2	4	5	1	9	6	8
9	6	4	7	3	8	2	1	5
5	1	8	6	9	2	7	3	4

277

4	3	9	1	8	7	2	5	6
8	1	5	2	6	9	4	7	3
7	2	6	5	3	4	9	8	1
3	8	1	4	7	2	6	9	5
9	6	2	3	5	1	8	4	7
5	4	7	6	9	8	3	1	2
6	7	4	8	2	5	1	3	9
2	9	8	7	1	3	5	6	4
1	5	3	9	4	6	7	2	8

278

8	2	3	1	7	9	5	6	4
6	1	7	5	4	8	3	2	9
4	5	9	6	3	2	1	7	8
1	4	6	2	8	5	9	3	7
3	8	2	9	1	7	6	4	5
9	7	5	4	6	3	2	8	1
2	9	4	8	5	6	7	1	3
5	3	1	7	2	4	8	9	6
7	6	8	3	9	1	4	5	2

279

9	4	2	1	8	3	5	7	6
5	3	1	6	7	9	8	4	2
7	8	6	4	5	2	3	9	1
4	6	8	2	1	7	9	5	3
3	1	5	9	4	6	7	2	8
2	7	9	5	3	8	1	6	4
8	5	7	3	6	4	2	1	9
6	9	3	7	2	1	4	8	5
1	2	4	8	9	5	6	3	7

280

8	3	7	1	4	2	9	5	6
5	9	4	7	3	6	2	1	8
1	6	2	5	9	8	3	7	4
3	2	5	4	7	1	6	8	9
7	8	9	3	6	5	1	4	2
4	1	6	2	8	9	5	3	7
9	7	8	6	1	3	4	2	5
6	5	3	8	2	4	7	9	1
2	4	1	9	5	7	8	6	3

281

1	8	5	9	4	7	3	2	6
4	3	7	6	1	2	8	5	9
9	6	2	8	3	5	7	1	4
2	1	6	7	5	9	4	3	8
5	4	3	1	6	8	9	7	2
7	9	8	3	2	4	5	6	1
6	7	1	4	9	3	2	8	5
3	2	4	5	8	6	1	9	7
8	5	9	2	7	1	6	4	3

282

1	9	4	5	2	3	8	7	6
8	3	5	9	7	6	2	4	1
6	7	2	8	4	1	3	9	5
9	4	3	2	6	7	5	1	8
5	8	6	4	1	9	7	2	3
2	1	7	3	5	8	4	6	9
3	2	9	1	8	4	6	5	7
4	6	8	7	9	5	1	3	2
7	5	1	6	3	2	9	8	4

283

7	3	9	8	6	1	2	5	4
6	8	2	3	4	5	7	9	1
5	4	1	2	9	7	8	6	3
8	1	3	4	2	9	6	7	5
9	2	7	5	1	6	4	3	8
4	6	5	7	3	8	9	1	2
2	7	4	6	5	3	1	8	9
1	5	6	9	8	2	3	4	7
3	9	8	1	7	4	5	2	6

284

7	3	9	8	5	4	6	2	1
1	6	5	2	9	3	8	4	7
2	4	8	6	7	1	3	5	9
4	8	7	9	3	2	1	6	5
6	2	3	5	1	7	4	9	8
5	9	1	4	8	6	2	7	3
8	7	6	1	2	9	5	3	4
3	5	4	7	6	8	9	1	2
9	1	2	3	4	5	7	8	6

285

7	4	9	1	8	5	3	6	2
3	8	1	2	6	7	5	9	4
6	2	5	4	3	9	1	8	7
4	9	2	7	5	3	8	1	6
8	5	7	6	2	1	9	4	3
1	6	3	8	9	4	2	7	5
9	3	8	5	7	6	4	2	1
5	7	4	9	1	2	6	3	8
2	1	6	3	4	8	7	5	9

286

8	5	1	3	7	4	6	2	9
2	4	9	8	6	1	3	5	7
3	6	7	2	9	5	1	8	4
7	3	2	1	5	9	4	6	8
6	1	8	7	4	2	9	3	5
5	9	4	6	3	8	2	7	1
1	2	6	4	8	7	5	9	3
4	7	5	9	2	3	8	1	6
9	8	3	5	1	6	7	4	2

287

2	3	5	7	1	9	6	8	4
7	1	6	4	8	2	3	5	9
9	8	4	3	5	6	2	1	7
4	2	9	8	6	3	1	7	5
1	6	3	5	7	4	8	9	2
5	7	8	2	9	1	4	6	3
8	4	7	1	3	5	9	2	6
6	5	2	9	4	8	7	3	1
3	9	1	6	2	7	5	4	8

288

8	4	3	6	2	1	5	7	9
5	9	1	4	7	3	8	6	2
2	6	7	9	5	8	1	4	3
1	7	8	2	9	5	6	3	4
6	3	2	8	1	4	9	5	7
4	5	9	3	6	7	2	8	1
9	1	5	7	3	6	4	2	8
7	2	4	5	8	9	3	1	6
3	8	6	1	4	2	7	9	5

289

1	9	7	4	6	5	3	8	2
3	4	6	1	2	8	9	5	7
5	2	8	7	9	3	1	6	4
6	1	3	8	5	4	7	2	9
4	5	2	9	1	7	8	3	6
8	7	9	2	3	6	4	1	5
9	8	1	5	4	2	6	7	3
2	3	4	6	7	1	5	9	8
7	6	5	3	8	9	2	4	1

290

6	2	5	1	7	9	8	4	3
1	8	4	2	3	6	9	7	5
9	3	7	5	4	8	6	2	1
3	5	6	7	1	2	4	9	8
8	7	1	9	5	4	3	6	2
4	9	2	6	8	3	1	5	7
5	4	9	3	2	1	7	8	6
2	6	3	8	9	7	5	1	4
7	1	8	4	6	5	2	3	9

291

9	3	6	5	1	2	4	7	8
5	7	4	6	8	9	2	3	1
8	1	2	3	7	4	5	9	6
6	2	5	8	4	7	3	1	9
7	8	9	1	2	3	6	5	4
1	4	3	9	6	5	8	2	7
2	9	8	7	3	6	1	4	5
3	5	1	4	9	8	7	6	2
4	6	7	2	5	1	9	8	3

292

7	3	9	5	4	8	1	6	2
5	2	6	7	9	1	8	4	3
4	1	8	3	2	6	9	7	5
9	6	5	1	7	3	4	2	8
1	4	2	8	6	9	3	5	7
3	8	7	2	5	4	6	1	9
8	7	1	6	3	5	2	9	4
2	9	3	4	1	7	5	8	6
6	5	4	9	8	2	7	3	1

293

9	8	7	6	3	5	2	4	1
3	1	2	8	7	4	5	9	6
5	6	4	2	9	1	3	7	8
6	2	8	9	5	3	7	1	4
7	3	1	4	2	8	6	5	9
4	5	9	1	6	7	8	2	3
1	4	6	5	8	2	9	3	7
2	9	3	7	1	6	4	8	5
8	7	5	3	4	9	1	6	2

294

4	2	9	5	6	1	3	7	8
1	7	5	9	8	3	2	4	6
8	6	3	4	7	2	5	1	9
2	5	8	3	1	4	6	9	7
6	3	1	7	2	9	8	5	4
9	4	7	8	5	6	1	3	2
3	1	6	2	9	7	4	8	5
7	8	4	6	3	5	9	2	1
5	9	2	1	4	8	7	6	3

295

5	6	7	3	4	8	2	1	9
4	2	3	9	1	5	8	7	6
1	9	8	7	2	6	3	5	4
9	4	1	5	7	2	6	3	8
7	5	6	8	3	4	1	9	2
3	8	2	6	9	1	5	4	7
2	7	5	4	8	3	9	6	1
8	3	4	1	6	9	7	2	5
6	1	9	2	5	7	4	8	3

296

1	3	4	9	7	8	6	5	2
5	8	7	2	1	6	9	4	3
6	9	2	5	3	4	8	1	7
3	2	8	6	5	1	7	9	4
7	5	6	3	4	9	1	2	8
9	4	1	8	2	7	5	3	6
4	7	9	1	8	2	3	6	5
2	1	3	7	6	5	4	8	9
8	6	5	4	9	3	2	7	1

297

8	5	2	4	3	7	1	9	6
6	3	1	9	2	8	7	4	5
4	7	9	1	5	6	3	2	8
1	4	7	8	6	3	2	5	9
5	6	8	2	7	9	4	1	3
2	9	3	5	4	1	6	8	7
9	2	6	3	8	4	5	7	1
3	1	4	7	9	5	8	6	2
7	8	5	6	1	2	9	3	4

298

6	8	5	2	4	7	3	9	1
2	1	3	5	8	9	7	6	4
9	4	7	3	1	6	2	8	5
8	2	4	9	7	5	6	1	3
5	7	9	6	3	1	8	4	2
1	3	6	8	2	4	9	5	7
7	6	8	1	5	2	4	3	9
3	5	2	4	9	8	1	7	6
4	9	1	7	6	3	5	2	8

299

9	4	1	3	8	5	6	7	2
6	3	7	4	9	2	1	5	8
8	2	5	1	7	6	3	4	9
5	1	3	6	2	7	9	8	4
2	8	9	5	3	4	7	1	6
4	7	6	9	1	8	5	2	3
1	5	4	8	6	9	2	3	7
7	6	8	2	5	3	4	9	1
3	9	2	7	4	1	8	6	5

300

8	9	1	2	6	5	3	4	7
5	3	7	9	4	1	8	6	2
4	6	2	8	7	3	5	1	9
1	8	5	3	2	7	6	9	4
2	7	3	6	9	4	1	5	8
6	4	9	5	1	8	2	7	3
7	1	6	4	8	2	9	3	5
9	5	8	7	3	6	4	2	1
3	2	4	1	5	9	7	8	6

301

5	4	8	2	6	3	7	1	9
7	3	2	5	1	9	8	6	4
6	9	1	4	7	8	3	5	2
2	8	6	1	4	5	9	3	7
9	7	4	6	3	2	5	8	1
1	5	3	9	8	7	2	4	6
4	2	7	3	5	1	6	9	8
8	1	5	7	9	6	4	2	3
3	6	9	8	2	4	1	7	5

302

7	9	1	8	6	2	5	3	4
4	5	6	1	3	7	2	8	9
8	2	3	4	9	5	7	1	6
5	3	8	2	7	6	4	9	1
6	4	7	9	5	1	3	2	8
2	1	9	3	8	4	6	5	7
3	7	2	6	1	9	8	4	5
1	6	4	5	2	8	9	7	3
9	8	5	7	4	3	1	6	2

303

8	6	5	4	1	2	7	9	3
3	9	7	6	5	8	2	4	1
1	2	4	7	3	9	5	8	6
9	3	2	1	7	4	6	5	8
7	4	6	8	9	5	1	3	2
5	1	8	3	2	6	4	7	9
2	8	9	5	4	1	3	6	7
6	5	3	2	8	7	9	1	4
4	7	1	9	6	3	8	2	5

304

6	8	7	1	9	4	2	3	5
2	9	5	3	8	7	4	1	6
4	3	1	2	5	6	9	8	7
7	6	8	9	4	3	5	2	1
1	4	9	6	2	5	3	7	8
3	5	2	8	7	1	6	4	9
8	7	4	5	3	9	1	6	2
5	2	6	4	1	8	7	9	3
9	1	3	7	6	2	8	5	4

305

2	4	1	7	5	3	6	8	9
6	3	5	8	9	4	2	7	1
8	7	9	2	1	6	3	5	4
7	1	6	4	3	8	5	9	2
5	9	2	1	6	7	8	4	3
4	8	3	9	2	5	7	1	6
1	5	4	3	8	2	9	6	7
3	6	7	5	4	9	1	2	8
9	2	8	6	7	1	4	3	5

306

5	7	4	6	1	3	8	9	2
3	6	2	8	4	9	5	1	7
1	8	9	7	2	5	3	4	6
8	4	6	3	7	1	2	5	9
7	3	5	2	9	8	4	6	1
2	9	1	5	6	4	7	3	8
4	1	8	9	5	7	6	2	3
6	5	7	1	3	2	9	8	4
9	2	3	4	8	6	1	7	5

307

2	3	8	6	7	5	1	4	9
9	1	6	3	8	4	5	7	2
5	4	7	9	1	2	3	6	8
4	8	9	5	3	6	7	2	1
1	2	5	8	9	7	6	3	4
7	6	3	4	2	1	8	9	5
6	9	2	7	5	8	4	1	3
8	7	1	2	4	3	9	5	6
3	5	4	1	6	9	2	8	7

308

7	9	2	1	3	4	6	8	5
3	6	5	8	7	9	1	2	4
4	8	1	5	6	2	9	7	3
5	7	3	6	2	1	4	9	8
1	2	9	7	4	8	3	5	6
6	4	8	3	9	5	7	1	2
2	3	6	9	8	7	5	4	1
8	1	7	4	5	3	2	6	9
9	5	4	2	1	6	8	3	7

309

4	1	6	5	2	9	3	8	7
5	2	8	7	3	4	1	9	6
7	3	9	8	6	1	5	2	4
1	4	7	2	8	5	9	6	3
3	8	2	9	4	6	7	1	5
6	9	5	3	1	7	8	4	2
8	7	4	6	9	3	2	5	1
9	6	3	1	5	2	4	7	8
2	5	1	4	7	8	6	3	9

310

3	9	6	5	1	7	8	4	2
2	5	4	6	9	8	1	7	3
7	8	1	3	4	2	5	6	9
6	2	3	7	8	1	9	5	4
4	1	8	9	3	5	6	2	7
9	7	5	2	6	4	3	8	1
5	4	9	1	7	6	2	3	8
8	3	2	4	5	9	7	1	6
1	6	7	8	2	3	4	9	5

311

6	7	5	9	4	1	2	8	3
8	3	9	5	2	6	4	7	1
4	2	1	3	8	7	9	6	5
3	6	2	4	7	9	1	5	8
9	5	4	8	1	3	6	2	7
1	8	7	2	6	5	3	4	9
7	9	3	6	5	4	8	1	2
5	4	8	1	9	2	7	3	6
2	1	6	7	3	8	5	9	4

312

3	7	8	1	5	4	9	6	2
1	9	4	2	6	7	3	8	5
2	6	5	3	9	8	1	7	4
4	2	7	6	3	5	8	9	1
5	1	6	4	8	9	2	3	7
8	3	9	7	1	2	5	4	6
6	5	3	8	4	1	7	2	9
7	4	1	9	2	3	6	5	8
9	8	2	5	7	6	4	1	3

313

6	8	2	9	1	4	7	5	3
9	3	7	8	6	5	1	2	4
4	1	5	2	7	3	8	6	9
7	5	9	4	8	1	2	3	6
3	4	8	6	9	2	5	7	1
1	2	6	3	5	7	9	4	8
2	6	1	5	4	9	3	8	7
8	7	3	1	2	6	4	9	5
5	9	4	7	3	8	6	1	2

314

6	9	4	8	1	5	7	2	3
8	2	7	9	3	6	4	1	5
1	5	3	4	2	7	6	8	9
7	4	9	3	6	8	1	5	2
5	3	1	2	7	4	9	6	8
2	6	8	1	5	9	3	7	4
4	7	2	6	8	3	5	9	1
9	1	5	7	4	2	8	3	6
3	8	6	5	9	1	2	4	7

315

3	1	2	9	7	6	4	5	8
8	7	6	3	4	5	9	2	1
5	9	4	8	1	2	7	6	3
4	6	3	2	5	1	8	7	9
7	5	9	6	8	4	3	1	2
2	8	1	7	3	9	5	4	6
6	2	7	5	9	3	1	8	4
1	3	5	4	6	8	2	9	7
9	4	8	1	2	7	6	3	5

316

6	5	2	3	7	8	9	4	1
1	4	7	5	9	2	3	8	6
3	9	8	6	1	4	5	2	7
7	2	3	9	8	1	6	5	4
8	6	4	7	3	5	1	9	2
5	1	9	4	2	6	7	3	8
9	3	1	8	4	7	2	6	5
2	8	5	1	6	9	4	7	3
4	7	6	2	5	3	8	1	9

317

3	8	6	5	9	7	2	4	1
9	2	5	1	3	4	7	6	8
1	4	7	2	8	6	3	9	5
2	6	8	7	5	3	4	1	9
4	9	1	8	6	2	5	7	3
7	5	3	4	1	9	6	8	2
5	1	4	6	2	8	9	3	7
8	7	9	3	4	5	1	2	6
6	3	2	9	7	1	8	5	4

318

4	8	7	2	9	5	6	3	1
3	6	2	7	4	1	5	9	8
5	9	1	6	8	3	4	7	2
8	3	9	4	5	7	2	1	6
1	2	6	8	3	9	7	4	5
7	4	5	1	6	2	3	8	9
6	5	8	9	7	4	1	2	3
2	7	3	5	1	8	9	6	4
9	1	4	3	2	6	8	5	7

319

5	6	2	9	1	3	4	8	7
4	8	3	6	2	7	9	1	5
7	9	1	4	8	5	6	3	2
6	2	7	3	5	1	8	4	9
1	3	4	8	7	9	2	5	6
8	5	9	2	4	6	1	7	3
2	4	5	7	9	8	3	6	1
9	1	6	5	3	4	7	2	8
3	7	8	1	6	2	5	9	4

320

2	1	8	5	7	4	9	3	6
3	7	6	9	8	1	2	4	5
4	5	9	6	2	3	8	1	7
6	4	2	7	3	8	1	5	9
1	9	3	2	6	5	4	7	8
7	8	5	1	4	9	3	6	2
9	2	1	4	5	6	7	8	3
8	6	7	3	1	2	5	9	4
5	3	4	8	9	7	6	2	1

321

4	5	1	7	3	2	9	6	8
2	9	3	4	6	8	7	1	5
8	7	6	1	5	9	3	2	4
5	2	7	8	1	6	4	9	3
6	3	9	5	4	7	1	8	2
1	8	4	2	9	3	5	7	6
9	4	8	6	7	5	2	3	1
7	6	5	3	2	1	8	4	9
3	1	2	9	8	4	6	5	7

322

2	4	6	1	3	8	7	5	9
8	3	5	9	4	7	2	1	6
9	1	7	2	5	6	8	3	4
5	7	9	3	8	1	4	6	2
1	6	3	4	7	2	9	8	5
4	8	2	5	6	9	3	7	1
6	9	8	7	1	4	5	2	3
7	5	4	6	2	3	1	9	8
3	2	1	8	9	5	6	4	7

323

6	1	5	9	2	3	8	4	7
7	8	9	5	6	4	1	3	2
4	3	2	8	1	7	6	9	5
2	6	1	7	9	8	4	5	3
5	7	8	3	4	6	2	1	9
9	4	3	2	5	1	7	8	6
1	9	4	6	7	5	3	2	8
8	2	7	4	3	9	5	6	1
3	5	6	1	8	2	9	7	4

324

4	9	8	5	7	2	6	1	3
6	1	7	4	8	3	9	5	2
2	3	5	9	6	1	4	7	8
1	4	3	2	9	5	7	8	6
9	7	6	1	3	8	5	2	4
8	5	2	6	4	7	1	3	9
3	2	9	7	5	6	8	4	1
7	8	4	3	1	9	2	6	5
5	6	1	8	2	4	3	9	7